CODE plus

TAKENBOEK
DEEL 2 | A1-A2

Basisleergang
Nederlands voor
anderstaligen

*Universiteit van
Amsterdam, Instituut voor
Nederlands als Tweede Taal (INTT)*
Nicky Heijne
Marten Hidma
Karolien Kamma

*Vrije Universiteit Amsterdam,
Afdeling Nederlands Tweede Taal*
Titia Boers
Gerrie Gastelaars
Vita Olijhoek

Eindredactie
Vita Olijhoek

CODE Plus pakketoverzicht

Titel	Titel
Deel 1	**Deel 3**
Takenboek	Takenboek
Website bij het takenboek	Website bij het takenboek
Docentendeel website	Docentendeel website
Audio-cd	Audio-cd
Dvd	Dvd
Oefenschrift	Oefenschrift
Deel 2	**Deel 4**
Takenboek	Takenboek
Website bij het takenboek	Website bij het takenboek
Docentendeel website	Docentendeel website
Audio-cd	Audio-cd
Dvd	Dvd
Oefenschrift	Oefenschrift

redactie: Marieke van Osch, Magenta tekst & redactie
omslagontwerp: Studio Imago, Peter Beemsterboer
ontwerp binnenwerk: Studio Imago, Henri van Santen
illustraties: Studio Imago, Ivan & Ilia Illustraties
fotografie: Ely Hackmann (umagbestkijken), Nijkerk

Over ThiemeMeulenhoff
ThiemeMeulenhoff ontwikkelt zich van educatieve uitgeverij tot een learning design company. We brengen content, leerontwerp en technologie samen. Met onze groeiende expertise, ervaring en leeroplossingen zijn we een partner voor scholen bij het vernieuwen en verbeteren van onderwijs. Zo kunnen we samen beter recht doen aan de verschillen tussen lerenden en scholen en ervoor zorgen dat leren steeds persoonlijker, effectiever en efficiënter wordt.

Samen leren vernieuwen.

www.thiememeulenhoff.nl

ISBN 978 90 06 81516 0
Eerste druk, zesde oplage, 2017

© ThiemeMeulenhoff, Amersfoort, 2011

Deze uitgave is volledig CO_2-neutraal geproduceerd.
Het voor deze uitgave gebruikte papier is voorzien van het FSC®-keurmerk.
Dit betekent dat de bosbouw op een verantwoorde wijze heeft plaatsgevonden.

Inhoud

4 Uitleg van de symbolen

thema

5 Hoofdstuk 1 Dat is een koopje! *Kopen en verkopen*

23 Hoofdstuk 2 Wat kan ik voor u doen? *Diensten*

47 Hoofdstuk 3 Lees eerst de bijsluiter *Gezond en niet gezond*

67 Hoofdstuk 4 Alleen is maar alleen *Relaties*

91 Hoofdstuk 5 Hoe gaat het met je studie? *Onderwijs en opleiding*

117 Hoofdstuk 6 Naar het museum *Kunst en cultuur*

143 Hoofdstuk 7 En wat doe jij? *Werk*

175 Hoofdstuk 8 Het laatste nieuws *Nieuws, weer en verkeer*

195 Antwoorden

214 Kader Hoofdletters en leestekens (De zin)

214 Kader Enkele en dubbele consonanten en vocalen (Spelling)

215 Overzicht Grammatica en spelling

216 Overzicht Routines

217 Woordenlijsten

233 Bronvermelding

Uitleg van de symbolen

 Deze opdracht maak je op de computer. Je gaat naar een tekst luisteren, een video of een illustratie bekijken, oefenen met nieuwe woorden of met routines.

Je gaat naar de computer, www.codeplus.nl. Je kiest *CODE Plus* deel 2, je kiest een hoofdstuk en je kiest een taak.

 Bij sommige opdrachten hoort een werkblad. De werkbladen krijg je van je docent.

 Sommige opdrachten doe je niet in de klas, maar buiten het lokaal of buiten de school. Je moet dan bijvoorbeeld naar een winkel.

 Bij deze opdracht moet je iets zoeken op internet.

 Deze opdracht doe je met een andere cursist samen.

 Deze opdracht doe je met twee andere cursisten.

 Deze opdracht doe je met de hele groep. Je krijgt uitleg van je docent.

 Deze opdracht doe je met de hele groep. Je docent laat een luistertekst of liedje horen.

 Dit is een leesopdracht. Je leest een tekst en beantwoordt de vragen.

 Dit is een schrijfopdracht.

HOOFDSTUK 1 Dat is een koopje!

Dit hoofdstuk gaat over kopen en verkopen.

Introductie	6	
Taak 1	Afrekenen in een winkel	7
Taak 2	Advertenties lezen en begrijpen	10
Taak 3	Apparaten kopen	14
Taak 4	Inkopen doen voor een feestje	17
Slot	19	
Grammatica en spelling	20	
Lezen en schrijven	22	

Introductie

Wat koop je bij de supermarkt, de boekwinkel en de kledingwinkel? Vul in.

Supermarkt:

_____

_____

_____

_____

_____

_____

Boekwinkel:

_____

_____

_____

_____

_____

Kledingwinkel:

_____

_____

_____

_____

_____

TAAK 1 Afrekenen in een winkel

● ● ● Voorbereiden

1 Wat hoort bij elkaar? Kruis aan.

1	Kan ik chippen?			
2	Hebt u terug van € 100?			
3	U kunt uw pas insteken en uw pincode intoetsen.			

 2 Doe de opdrachten van Luisteren bij Voorbereiden op de computer.

 3 Doe de opdrachten van Woorden bij Voorbereiden op de computer.

⏻ Routines

Afrekenen: verkopen Afrekenen: kopen

Kan ik afrekenen?

Het kost € 2,40.   Heeft u terug van € 50,-?

Heeft u het ook kleiner?   Nee, sorry. Ik kan wel chippen.

Heeft u het gepast?   Dat lukt wel.

U kunt ook contant betalen. Prima, ik heb genoeg kleingeld.

Dat is dan € 293,87.   Ik wil graag pinnen.

U kunt uw pas insteken en uw code intoetsen.

Gaat uw gang. / Ga je gang.

---

 4 Doe de opdrachten van Routines bij Voorbereiden op de computer.

● ● ● Uitvoeren

 5 Voer zes gesprekjes.

Eén cursist is verkoper, de ander klant. De klant wil afrekenen.
Gebruik de informatie op het werkblad. Voer de gesprekjes.
Wissel van rol na drie gesprekken.

● ● ● Afronden

6 Lees de vragen en de tekst. Beantwoord de vragen.

1 Het aantal pinbetalingen groeit, het aantal chipbetalingen wordt
   kleiner.
   a waar
   b niet waar

2 Nederlanders betalen kleine bedragen …
   a steeds vaker contant.
   b vooral met de Chipknip.
   c steeds meer met de pinpas.

3 Wat gebruikten Nederlanders in 2010 het vaakst?
   a de Chipknip
   b contant geld
   c de pinpas

4 Waar gebruiken Nederlanders vooral de pinpas en waar vooral de
   Chipknip? Kruis aan.

	pinpas	Chipknip
supermarkten	☐	☐
kantines	☐	☐
parkeerautomaten	☐	☐
benzinestations	☐	☐
kleding- en schoenenwinkels	☐	☐

Betalen in Nederland

Nederlanders betalen steeds minder vaak met contant geld. In 2000 gebruikten ze
hun pinpas ongeveer 200 miljoen keer, in 2010 2,1 miljard keer en het aantal
pinbetalingen groeit nog steeds. In 2010 pinden Nederlanders bij ongeveer 42% van
alle betalingen. Vooral in supermarkten, bij benzinestations en in kleding- en
schoenenwinkels gebruikten ze de pinpas.

Nederlanders betalen ook met de Chipknip. In 2010 was dat bij 3% van alle betalingen, ongeveer 178 miljoen keer. Vooral voor het parkeren van de auto en het betalen in de kantine gebruikten ze de Chipknip. Het aantal chipbetalingen zal de komende jaren kleiner worden, want Nederlanders gebruiken steeds vaker hun pinpas voor kleine bedragen.

7   Beantwoord de vragen.

Bedenk eerst dit: welke kleren draag je? Wat heb je bij je?

1   Wat heb je het eerst gekocht en wat het laatst?

_____

2   Wat was het duurst?

_____

3   Waar heb je het gekocht?

_____

4   Wanneer heb je het gekocht?

_____

5   Hoe heb je betaald?

_____

 Vergelijk je antwoorden met twee medecursisten.

Taak 2 Advertenties lezen en begrijpen

● ● ● Voorbereiden

1 Wat hoort bij elkaar? Vul de goede letter in.

Te koop

1 —
> **Bank**, kleur blauw, 4 jaar oud, in goede staat. Vraagprijs: € 260, 020 - 6112536.

2 —
> **Piano**, 1930, kleur zwart, veel gebruikt. Tegen elk aannemelijk bod. 06 - 44254753.

3 —
> **Wasmachine**, 4 programma's, 8 jaar oud, goede machine. Moet weg. Prijs: € 80, erik@hotmail.com.

4 —
> **Laptop**: Acer met tas, programma's en cd-rom. 1 jaar oud, zo goed als nieuw. Nu voor de halve prijs: € 660, 06 - 40213752.

5 —
> **Citroën 2CV**, uit 1984, 117.248 km, in redelijke staat. Prijs: € 2950, 06 - 44545663.

6 —
> **Trouwjurk**, 1 keer gedragen, zo goed als nieuw. Koopje: € 200. barbara.halla@hotmail.com.

Wat is te koop?

a   een meubel   c   een muziekinstrument   e   kleding

b   een computer   d   een auto   f   een apparaat

2 Doe de opdrachten van Luisteren bij Voorbereiden op de computer.

 3 Doe de opdrachten van Woorden bij Voorbereiden op de computer.

Routines

Advertenties begrijpen
Staat (Conditie)
Zo goed als nieuw (z.g.a.n.)
In goede staat
In redelijke staat
(Veel) gebruikt

Prijs
Slechts vijftig euro / Maar twintig euro
(Dat is een) koopje!
Dat vind ik een goede prijs.
Nu voor de halve prijs.
Tegen iedere prijs / Tegen elk aannemelijk bod (t.e.a.b.)

 4 Doe de opdrachten van Routines bij Voorbereiden op de computer.

 ## Uitvoeren

 5 Lees de vragen en de advertenties. Beantwoord de vragen.

1 Je wilt voor jezelf een fiets kopen. Je wilt niet meer dan € 170 betalen. Hij moet heel goed zijn. Welke kies je? Waarom? Er kunnen meer antwoorden goed zijn.

☐ 1 | Damesfiets en herenfiets. Batavus. In prima staat. Vraagprijs: € 350. 06 - 25768432.

☐ 4 | Herenfiets. Goede, nette fiets. Weinig gebruikt. Prijs: € 140. 013 - 4215432.

☐ 2 | Meisjesfiets. Zo goed als nieuw. Moet weg. Tegen elk aannemelijk bod. 023 - 6528579.

☐ 5 | Damesfiets, 7 versnellingen. In redelijke staat. Prijs: € 110. 06 - 21436587.

☐ 3 | Racefiets, 24 versnellingen. Z.g.a.n. Koopje. Vraagprijs: € 165. 072 - 9786540.

2 Je wilt een koelkast kopen. Je wilt niet meer dan € 100 betalen. De koelkast mag wel oud zijn. Je hebt een gezin met vijf kinderen. Welke kies je? Waarom? Er kunnen meer antwoorden goed zijn.

☐ 1

Campingkoelkast, 60 x 90 cm. Houdt al uw frisdrank koud. Slechts € 50. 06 - 63542231.

☐ 3

Koelkast, tafelmodel. Prijs: € 25. 026 - 6781852.

☐ 2

Grote koelkast, 2 deuren, apart deel voor groente. Moet weg omdat we kleiner gaan wonen. Tegen iedere prijs. 010 - 4476769.

☐ 4

Koelkastje, klein model, voor op de boot. Merk Ignis. Z.g.a.n. Vraagprijs: € 50. 0313 - 416503.

● ● ● Afronden

 6.1 Zoek eetkamerstoelen via internet.

Je wilt eetkamerstoelen kopen via internet.

▪ Je gaat naar: www.marktplaats.nl. Typ in: 'eetkamerstoelen' en vul je postcode in. Klik op 'zoek'.
▪ Kies drie advertenties, lees ze en vul de informatie in de tabel in.
▪ Wat is je eerste keus? Waarom?
▪ Print de foto's (en de informatie) en neem ze mee naar de les.

	Voorbeeld	Set 1	Set 2	Set 3
conditie	z.g.a.n.			
kleur	bruin			
materiaal	hout met leer			
aantal	4			
prijs	150 euro			
woonplaats verkoper, afstand	Almere, 31 km			

 6.2 Bespreek samen de resultaten.

Welke stoelen kies je en waarom? Wat was belangrijk bij jouw keuze?

Voorbeeld:

Ik kies set 1 want die is niet duur. Ik wil ook niet meer dan vier stoelen. De verkoper woont dichtbij en de stoelen zijn zo goed als nieuw. De kleur bruin vind ik ook mooi.

Taak 3 Apparaten kopen

• • • Voorbereiden

1 **Je wilt een televisie kopen. Wat vind je belangrijk? Vul in.**

1 Niet belangrijk   2 Belangrijk   3 Heel belangrijk

____ De prijs.

____ De techniek.

____ Het merk.

____ De televisie moet goed in mijn kamer passen: kleur, groot of klein.

____ De garantie.

 2 **Doe de opdrachten van Luisteren bij Voorbereiden op de computer.**

 3 **Doe de opdrachten van Woorden bij Voorbereiden op de computer.**

• • • Uitvoeren

 4 **Lees samen het voorbeeld.**

Cursist A is de verkoper. Cursist B is de klant.

Verkoper	Dag meneer, kan ik u helpen?
Klant	Ik zoek een nieuwe wasmachine.
Verkoper	Wat voor wasmachine zoekt u? Wast u bijvoorbeeld veel?
Klant	Ik was niet veel, ik woon alleen. Maar ik wil wel een goed merk.
Verkoper	Misschien is deze machine wat voor u. Het is een goed merk. Hij heeft tien programma's, u kunt vijf kilo wassen en hij kost € 795.
Klant	Dat lijkt me goed. Hoelang is de garantie?
Verkoper	Twee jaar. Drie jaar garantie kost € 35 extra.
Klant	Prima, ik neem deze met extra garantie.
Verkoper	Goed, loopt u even mee?

5.1   Voer het gesprek.

Je wilt een wasmachine kopen.
Cursist A is de verkoper. Cursist B is de klant.
Gebruik de informatie op het werkblad. Cursist A begint de dialoog.

 5.2   Voer het gesprek.

Je wilt een mobiele telefoon kopen.
Cursist B is de verkoper. Cursist A is de klant.
Gebruik de informatie op het werkblad. Cursist B begint
de dialoog.

Wissel van rol.

● ● ● Afronden

 6   Doe de opdracht van Luisteren bij Afronden op de computer.

Je hoort hoe het gesprek van opdracht 5.1 kan gaan.

 7   Herhaal opdracht 5.1.

Cultuur

Wie doen de boodschappen?
Kruis aan.

	Nederland	Mijn land
1 Mannen en vrouwen kopen samen apparaten, meubels, auto's.	☐	☐
2 Moeders kopen kleren voor de kleine kinderen in het gezin.	☐	☐
3 Grotere kinderen kiezen in de winkel hun eigen kleren.	☐	☐
4 Mannen en vrouwen kopen hun eigen kleren.	☐	☐
5 Veel mensen doen één keer per week boodschappen in de supermarkt.	☐	☐
6 De moeder van een gezin doet de meeste boodschappen.	☐	☐
7 De winkels zijn zeven dagen per week van 's morgens vroeg tot in de avond open.	☐	☐

Vergelijk je antwoorden met twee medecursisten.

Bespreek samen de antwoorden.

TAAK 4 Inkopen doen voor een feestje

● ● ● Voorbereiden

1 Wat hoort bij elkaar? Vul de goede letter in.

a

d

g

b

e

h

c

f

1 _____ 3 flessen cola: 3 halen, 2 betalen: € 2,98

2 _____ appelsap en sinaasappelsap: nu € 0,79 per pak

3 _____ aanbieding: duopak koffie van het huismerk: € 3,13

4 _____ voor de halve prijs: fles rode wijn, 0,75 l - (€ 4,99) € 2,49

5 _____ fles witte wijn van het huismerk: € 2,99

6 _____ zak chips, bij 2 stuks 10% korting: (€ 1,78) € 1,60

7 _____ kilo jonge kaas voor € 6,58

8 _____ tweede voor de halve prijs: 2 kratten bier van € 23,58 voor € 17,67

2 Doe de opdrachten van Luisteren bij Voorbereiden op de computer.

 3 Doe de opdrachten van Woorden bij Voorbereiden op de computer.

• • • Uitvoeren

4.1 Neem een advertentiekrantje van een supermarkt mee naar de les.

 4.2 Bespreek wat jullie gaan kopen voor het feestje.

Kies een van de volgende situaties. Jullie gaan boodschappen doen voor een feestje. Gebruik de advertentiekrantjes van opdracht 4.1. Bespreek wat jullie gaan kopen.

1   Jullie willen een feestje geven voor de groep. Kies wat jullie gaan kopen voor € 100. Schrijf op wat jullie willen kopen.

2   Je bent geslaagd voor je rijexamen. Je wilt een feest geven voor dertig mensen bij je thuis. Iedereen moet iets kunnen drinken en eten. Probeer zo veel mogelijk dingen te kopen die iedereen lekker vindt. Kies wat jullie gaan kopen voor € 200. Schrijf op wat jullie willen kopen.

3   Je dochtertje wordt zes jaar. Je geeft een feestje voor haar. Er komen zes kinderen. Probeer zo veel mogelijk dingen te kopen die kinderen lekker vinden. Kies wat jullie gaan kopen voor € 65. Schrijf op wat jullie willen kopen.

• • • Afronden

 5 Bespreek wat jullie hebben gekocht. Bespreek ook wie het meest heeft kunnen kopen.

Cultuur

Vaste prijzen of niet?

De prijs van een heleboel dingen in Nederland is vast. Dat betekent dat je niet kunt praten met de verkoper over een lagere prijs (= afdingen). Bij sommige dingen is dat heel duidelijk. Voor groente of fruit, kleren en andere niet zo grote en dure artikelen op de markt of in een winkel betaal je gewoon de prijs die erop staat of die de verkoper ervoor vraagt.

Dit is niet zo bij spullen die niet nieuw zijn: tweedehands spullen. Daarbij is het juist heel normaal als je onderhandelt: je probeert minder te betalen. Ook bij tweedehands auto's is de vraagprijs nooit de prijs die je er echt voor betaalt; je betaalt altijd minder.

Ook bij andere grote artikelen, zoals een nieuwe wasmachine, kun je proberen om een lagere prijs te betalen. Zeker als je in een winkel twee dingen tegelijk koopt, bijvoorbeeld een wasmachine en een koelkast. Probeer dan te onderhandelen over de prijs. Je zegt bijvoorbeeld: 'Als ik ze nu allebei neem, kunt u dan iets aan de prijs doen?' Of je vraagt er nog extra gratis spullen bij zoals een navigatiesysteem bij een nieuwe auto.

Twee derde van de Nederlanders tussen 25 en 50 jaar onderhandelt vaak bij een koop. Ze onderhandelen vooral bij autodealers (60%), op tweedehands markten (59%) en bij winkels met apparaten voor in huis, zoals wasmachines en koelkasten (57%). Op tweedehands websites zoals Marktplaats onderhandelt 40% over de prijs. Een kwart van de mensen vindt onderhandelen makkelijk en leuk, want daarna betaal je vaak minder voor een product. Vooral mannen onderhandelen; drie kwart probeert wel eens af te dingen. Bij de vrouwen is dat maar 59%. Zij vinden onderhandelen moeilijker.

Slot

1   Doe de opdrachten bij Slot op de computer.

2 Schrijf een advertentie.

Je gaat samenwonen met je vriend(in). Jullie hebben allebei een set
eetkamerstoelen en willen er een verkopen. Schrijf een kleine advertentie
voor in de supermarkt. Je kunt de informatie gebruiken die je hebt
gevonden in taak 2, opdracht 6.1.

Grammatica en spelling

Dit is de theorie bij Grammatica en spelling. De oefeningen staan op
www.codeplus.nl, deel 2, hoofdstuk 1, Oefenen, Grammatica en spelling.

Taak 1

Het diminutief   Het substantief
Als je wilt zeggen dat iets klein is, kun je een diminutief gebruiken.

het pak	het pak**je**
de fles	het fles**je**
de zegel	het zegel**tje**
het raam	het raam**pje**
de woning	het wonin**kje**
het ding	het ding**etje**

▶▶ Een diminutief maak je met -**je**, -**tje**, -**pje**, -**kje** of -**etje** achter het substantief.
Het substantief in de diminutiefvorm heeft altijd het artikel (lidwoord) **het**.

Let op:
het brood → het broodje
het bier → het biertje (= een glas bier)

Het imperfectum (regelmatig)

In 2000 gebruikten Nederlanders hun pinpas ongeveer 200 miljoen keer.
Het aantal pinbetalingen groeide. In 2009 pinden ze bijna twee miljard keer.

Singularis

	gebruiken	pinnen	groeien
1 ik	gebruikte	pinde	groeide
2 je / jij / u	gebruikte	pinde	groeide
3 ze / zij, hij	gebruikte	pinde	groeide

Pluralis

1 we / wij	gebruikten	pinden	groeiden
2 jullie	gebruikten	pinden	groeiden
3 ze / zij	gebruikten	pinden	groeiden

Hoe maak je het imperfectum?

▶▶ Kijk naar de ik-vorm: gebruik, pin, groei. Is de laatste letter s, f, t, k, ch, p
(SoFT KeTCHuP)?
Kies dan -te en -ten.
gebruik → (singularis) gebruikte / (pluralis) gebruikten

▶▶ Is de laatste letter een andere letter?
Kies dan -de en -den
pin → (singularis) pinde / (pluralis) pinden

Het imperfectum (onregelmatig)

Mijn oma had geen wasmachine.
Wat deed je vader vroeger? Hij was huisarts.
We waren gisteren thuis.

Singularis

	hebben	zijn	doen
1 ik	had	was	deed
2 je / jij, u	had	was	deed
3 ze / zij, hij	had	was	deed

Pluralis

	hebben	zijn	doen
1 we / wij	hadden	waren	deden
2 jullie	hadden	waren	deden
3 ze / zij	hadden	waren	deden

Het imperfectum van onregelmatige werkwoorden moet je leren. Er zijn geen
regels. Kijk voor informatie in het woordenboek.

Lezen en schrijven

1   Lees de tekst en de vragen. Beantwoord de vragen.

1   Wat is de beste titel voor deze tekst?
   a   Nederlanders doen impulsief boodschappen
   b   Nederlanders denken goed na over hun boodschappen
   c   Nederlanders en advertentiekrantjes

2   Een Nederlander kijkt naar aanbiedingen en kiest dan de supermarkt.
   a   waar
   b   niet waar

3   Wat hoort bij elkaar?
   a   Ongeveer 50% van de   1   … gebruikt een boodschappenlijstje.
       Nederlanders …
   b   Ongeveer 60% van de   2   … gaat voor een aanbieding naar
       Nederlanders …   een andere supermarkt.
   c   Ongeveer 70% van de   3   … kijkt in het advertentiekrantje
       Nederlanders …   van de supermarkt.

   1   ___

   2   ___

   3   ___

Nederlanders denken steeds beter na als ze boodschappen doen. Ze kijken bijvoorbeeld beter naar de prijzen van de verschillende supermarkten. Ze zoeken thuis al in advertentiekrantjes naar aanbiedingen. In 2010 maakte 48% van de klanten vaak of altijd gebruik van zo'n krantje. Dat is veel meer dan in 2008 en 2009. Meer dan twee derde van de Nederlanders gaat soms ook naar een andere supermarkt voor een goede aanbieding.
Ook kopen Nederlanders minder impulsief: 61% maakt thuis een boodschappenlijstje. In de supermarkt kopen ze dan vooral de dingen van dat lijstje. Andere leuke of lekkere dingen kopen ze dan niet zo vaak.
Verder lunchen ze vaker thuis of ze nemen van huis een eigen lunch mee naar het werk. Tot slot gaan ze minder vaak uit eten en halen ze minder vaak maaltijden bij bijvoorbeeld pizzeria's.

2   Schrijf een e-mail aan meneer Jansen. Vraag informatie.

Je wilt een tweedehands fiets kopen. Je ziet op internet de advertentie die hiernaast staat. Je wilt meer weten over deze fiets (denk aan de kleur, dames- of herenfiets, hoe oud hij is, de prijs, buiten of binnen gestaan, enzovoort).

> Te koop: sportieve fiets, in perfecte staat.
> p.jansen@yahoo.com

HOOFDSTUK 2 Wat kan ik voor u doen?

Dit hoofdstuk gaat over diensten.

Introductie	24	
Taak 1	Post versturen	25
Taak 2	Informatie vragen over de openbare bibliotheek	32
Taak 3	Een bankrekening openen	35
Taak 4	Informatie vragen en geven op het gemeentehuis	37
Slot	43	
Grammatica en spelling	44	
Lezen en schrijven	45	

Introductie

 Doe de opdrachten bij Introductie op de computer.

TAAK 1 Post versturen

● ● ● Voorbereiden

1 Welke woorden horen bij 'post versturen'? Kruis aan.

  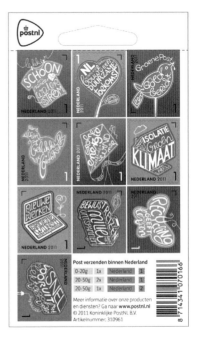

☐ postzegel   ☐ postpakket
☐ paspoort   ☐ agenda
☐ brievenbus   ☐ telefoneren
☐ postkantoor   ☐ plattegrond
☐ lezen   ☐ bezorgen

2.1 Lees de vragen en de tekst. Beantwoord de vragen.

1 Je woont in Rotterdam. Je stuurt een brief (10 gram) naar een vriend in Maastricht. Je doet de brief om 17.00 uur op dinsdag op de bus. Wanneer krijgt je vriend de brief?

2 Sarah woont in Amsterdam. Ze stuurt een boek naar haar vriendin in Groningen.
Het boek weegt 1 kilo. Het pakje past niet in de brievenbus. Hoe verstuurt ze het boek?
a als brievenbuspost
b als pakketpost
c als aangetekende post

3 De ambassade stuurt je paspoort met een visum naar je toe. Welke post gebruiken ze?
a brievenbuspost
b pakketpost
c aangetekende post

4 Je vriendin in Duitsland is verhuisd. Je stuurt een kaart om haar te feliciteren. Welke postzegel kies je?
a Nederland 1
b Nederland 2
c Europa 1
d Wereld 1

 2.2 Kijk op internet. Beantwoord de vragen.

Kijk op www.postnl.nl. Ga naar de tarieven.

1 Hoeveel kost het versturen van de post uit vraag 1, 2, 3 en 4 van opdracht 2.1?

1 _____

2 _____

3 _____

4 _____

2 Vrienden in Antwerpen hebben een baby gekregen. Je stuurt een pakje. Het pakje weegt 1 kilo. Hoeveel kost het versturen van het pakje?

Post versturen

De brievenbus
Post kun je sturen via de brievenbus. De postbode bezorgt de post dan thuis. Als je een brief vóór 18.00 uur 's avonds op de bus doet, komt hij binnen Nederland de volgende dag aan. Post naar het buitenland doet er natuurlijk iets langer over. Welke postzegel moet er op een brief? Voor brieven tot en met 20 gram heb je een postzegel nodig met een 1 erop. Je kunt kiezen uit 'Nederland', 'Europa' en 'Wereld'. Voor brieven van 21 tot en met 50 gram kun je voor Nederland een postzegel met een 2 plakken. Stuur je een brief van bijvoorbeeld 30 gram naar het buitenland, dan plak je twee postzegels met 'Europa' of 'Wereld'.

Speciale postzegels

Er zijn speciale postzegels voor speciale gebeurtenissen, zoals een huwelijk, geboorte of felicitatie. Voor iedere gebeurtenis is er een postzegel. Er komen regelmatig nieuwe postzegels. Die kun je bekijken op www.postnl.nl.

Pakketten

Post die niet in de brievenbus past, verstuur je als pakket. Je doet dan de spullen die je wilt versturen, in een doos. Op het postkantoor kun je speciale dozen kopen in verschillende maten. Voor pakketten binnen Nederland zijn er speciale postzegels te koop: pakketzegels.

Belangrijke post

Verstuur je belangrijke post? En wil je zeker weten dat de post aankomt? Stuur je post dan aangetekend. Je krijgt een bewijs dat de post verstuurd is. De persoon die de post krijgt, zet zijn handtekening als hij de post ontvangt.

Op de website www.postnl.nl kun je zien hoeveel je moet betalen om je brief of pakket te versturen.

3 Doe de opdrachten van Luisteren bij Voorbereiden op de computer.

4   Wat hoort bij elkaar? Vul de goede letter in.

Wat wil je weten?
1   Wanneer de brief bezorgd wordt.
2   Hoeveel het kost om de brief te versturen.
3   Of je de post via de brievenbus kunt versturen.
4   Hoeveel het pakje weegt.

Wat vraag je?
a   Past dit pakket in de brievenbus?
b   Hoe zwaar is dit pakket?
c   Welke postzegel moet er op de brief?
d   Wanneer komt de brief aan?

1   ___

2   ___

3   ___

4   ___

 5   Doe de opdrachten van Woorden bij Voorbereiden op de computer.

⏻ Routines

Post versturen
Ik wil dit pakje / deze brief naar … sturen.
Ik wil deze brief aangetekend versturen.

Hoe zwaar is het pakket?
Welke postzegel moet er op de brief?
Wanneer komt de brief aan?
Wanneer wordt de brief bezorgd?

 6   Doe de opdrachten van Routines bij Voorbereiden op de computer.

••• Uitvoeren

 7 Lees de vragen en bekijk de folder over de pakketten. Beantwoord de vragen.

Het is dinsdag 26 oktober. Jullie willen een pakket versturen naar tante Tanya in Suriname. Tante Tanya is op 6 november jarig. Jullie kiezen welke dingen jullie in het pakket willen doen. Het versturen van het pakket mag niet duurder zijn dan 30 euro.

- 2 cd's (gewicht per cd: 100 gram)
- 2 boeken (gewicht per boek: 500 gram)
- 2 dvd's (gewicht per dvd: 100 gram)
- 2 T-shirts (gewicht per T-shirt: 100 gram)
- sportsokken (gewicht: 60 gram)
- een trui (gewicht: 250 gram)
- kaas (gewicht: 500 gram)
- 2 panty's (gewicht per panty: 30 gram)
- een pak koekjes (gewicht: 250 gram)
- 2 potten pindakaas (gewicht per pot: 550 gram)

1 Welke dingen doen jullie in het pakket?

2 Hoe zwaar is het pakket?

3 Hoeveel kost het sturen van het pakket?

4 Hoeveel werkdagen duurt het maximaal voor het pakket in Suriname aankomt?

Pakketten	Duur in werkdagen
Europa	
België, Duitsland, Frankrijk	2 - 3
Italië	3 - 5
Spanje	3 - 5
Zwitserland	2 - 3
Buiten Europa	
Australië	6 - 8
Brazilië	6 - 9
Canada	3 - 6
Suriname	5 - 8
Verenigde Staten	3 - 6

Landen	
EUR 1	België, Luxemburg, Denemarken, Duitsland, Frankrijk, Italië, Oostenrijk, Spanje, Verenigd Koninkrijk, Zweden
EUR 2	Bulgarije, Estland, Finland, Hongarije, Ierland, Letland, Litouwen, Polen, Portugal, Roemenië, Slovenië, Slowakije, Tsjechië
EUR 3	Albanië, Andorra, Bosnië-Herzegovina, Canarische Eilanden, Cyprus, Faeröer Eilanden, Gibraltar, Griekenland, Groenland, IJsland, Kanaaleilanden, Kroatië, Liechtenstein, Macedonië, Malta, Moldavië, Montenegro, Noorwegen, Oekraïne, San Marino, Servië, Turkije, Vaticaanstad, Wit-Rusland, Zwitserland
Wereld	alle andere landen

	0 - 2 kg	2 - 5 kg	5 - 10 kg	10 - 20 kg
EUR 1	€ 13,00	€ 19,50	€ 25,00	€ 34,00
EUR 2	€ 18,50	€ 25,00	€ 31,00	€ 40,00
EUR 3	€ 19,30	€ 26,30	€ 32,30	€ 42,30
Wereld	€ 24,30	€ 34,30	€ 58,30	€ 105,30

8 Voer het gesprek.

Cursist A is de klant. Cursist B werkt op het postkantoor. Gebruik de informatie uit opdracht 7.

Cursist A Je wilt weten:
- hoeveel het kost om het pakket te versturen;
- hoelang het duurt voor het pakket in Suriname aankomt.

Geef ook antwoord op de vragen van cursist B.

Cursist B   Geef antwoord op de vragen van cursist A, de klant.

Stel zelf vragen over:

- het gewicht van het pakket;
- wat er in het pakket zit.

Wissel van rol.

• • • Afronden

9   **Doe de opdracht van Luisteren bij Afronden op de computer.**

Je hoort hoe het gesprek van opdracht 8 kan gaan.

10   **Voer twee gesprekken.**

Cursist A werkt op het postkantoor. Cursist B is klant. Hij wil een pakket versturen aan zijn familie. Gebruik de informatie uit opdracht 7. Kies zelf een land.

Loop rond. Doe de opdracht nog een keer met een andere cursist.

TAAK 2 Informatie vragen over de openbare bibliotheek

• • • Voorbereiden

**1 Je vraagt informatie in de bibliotheek. Wat hoort bij elkaar?
Vul de goede letter in.**

Wat wil je weten?
1 Wat je moet doen om lid te worden.
2 Hoe duur het is om lid te worden.
3 Wat de openingstijden zijn.
4 Hoelang je de boeken of cd's mag lenen.

Wat vraag je?
a Hoeveel kost het om lid te worden?
b Wanneer is de bibliotheek open?
c Hoelang mag ik boeken en cd's lenen?
d Hoe kan ik lid worden?

1 ____

2 ____

3 ____

4 ____

2 Lees de vragen en de tekst. Beantwoord de vragen.

1 Je wilt lid worden van de bibliotheek. Wat moet je laten zien?

_____

2 Je bent 31 jaar en gaat met je zoon (8) en met je moeder (55) naar de bibliotheek. Jullie willen alle drie lid worden. Hoeveel moet je betalen?

_____

3 Eén keer per jaar is de actie 'Nederland leest'. Wat krijg je dan als je lid bent?

_____

4   Je werkt overdag. Daarom wil je 's avonds naar de bibliotheek. Op
    welke dagen kan dat?

_____

5   Als je iets leent, krijg je een bon. Op de bon staat wat je hebt geleend.
    Wat staat er ook op?

_____

6   Je bent in de bibliotheek. Je bent geen lid. Je wilt even op internet.
    Hoelang mag dat? En hoeveel kost het?

_____

Openbare Bibliotheek

De bibliotheek is er voor iedereen!
In de bibliotheek kun je informatie vinden over allerlei onderwerpen. Als je lid bent, kun je
boeken en andere dingen lenen, zoals cd's en dvd's. In de bibliotheek kun je ook een krant
of tijdschrift lezen en een kopje koffie drinken. Ook als je geen lid bent. Dan mag je ook
gebruikmaken van de computers. Iedereen mag een half uur per dag gratis op internet.

Waarom lid worden?
Als je lid bent van de bibliotheek, kun je:
* boeken 3 weken lenen;
* dvd's en computerspelletjes 1 week lenen;
* een gratis boek krijgen tijdens de actie 'Nederland leest'.

Wat mag je lenen?
Maximaal 10 boeken.
Voor audiovisuele materialen (dvd's) en multimedia-cd-roms met spelletjes of cd's
betaal je 1 of 2 euro per stuk.
Als je iets leent, ontvang je een bon. Op de bon staat wanneer je alles moet inleveren.

Wat moet je doen om lid te worden?
Ga naar de klantenservice van de bibliotheek en vul een inschrijfformulier in.
Neem een geldig legitimatiebewijs mee.
Neem een bewijs van je adres mee (bijvoorbeeld het laatste afschrift van je
bankrekening).

Lidmaatschap

Tot 19 jaar	gratis
19 t/m 22 jaar	€ 17,50
23 t/m 64 jaar	€ 27,50
Vanaf 65 jaar	€ 17,50
Partnerpas	€ 5,00

Openingstijden

Maandag	14.00 - 20.00 uur
Dinsdag	14.00 - 17.00 uur
Woensdag	14.00 - 20.00 uur
Donderdag	gesloten
Vrijdag	10.00 - 17.00 uur
Zaterdag	11.00 - 16.00 uur

Routines

Informatie vragen in de bibliotheek

Ik wil graag lid worden van de bibliotheek.

Hoeveel kost het lidmaatschap?

Wat kan ik lenen?

Zijn er leesboeken voor NT2?

Hoelang mag ik ze lenen?

Hoeveel boeken mag ik lenen?

Wanneer is de bibliotheek open?

3   Doe de opdrachten van Routines bij Voorbereiden op de computer.

• • • Uitvoeren

4   Voer het gesprek.

Cursist A werkt bij de openbare bibliotheek. Cursist B wil lid worden.

Wissel van rol.

• • • Afronden

5.1   Ga naar een openbare bibliotheek bij jou in de buurt.

Vraag of je leesboeken voor NT2 mag zien. Schrijf een paar titels op.
Vraag ook een informatiefolder. Neem je informatie mee naar de les.

5.2   Vergelijk de folders. Praat samen over de vragen.

1   Ga je wel eens naar een bibliotheek? Wat doe je daar? Kruis aan.
☐ een boek of tijdschrift lezen
☐ op internet kijken
☐ koffiedrinken
☐ iets anders, namelijk _____

2   Ben je lid van de bibliotheek of wil je lid worden? Waarom?

3   Vergelijk de folders. Welke informatie is hetzelfde? Wat is anders?

4   Heb je leesboeken voor NT2-cursisten gevonden? Welke?

5   Wat vind jij? Moet de bibliotheek gratis zijn voor iedereen? Vertel
waarom je dat vindt.

Taak 3 Een bankrekening openen

• • • Voorbereiden

1 Je wilt een bankrekening openen. Wat heb je nodig, denk je? Kruis aan.

☐ agenda
☐ legitimatiebewijs
☐ creditcard
☐ geld
☐ handtekening

 2 Doe de opdrachten van Luisteren 1 en 2 bij Voorbereiden op de computer.

 3 Doe de opdrachten van Woorden bij Voorbereiden op de computer.

○ Routines

Iemand van dienst zijn
Wat kan ik voor u doen?
Kan ik u misschien helpen?
Hebt u nog vragen?
Kan ik u ergens mee helpen?

⊖ Routines

Iemand een dienst vragen
Ik wil graag een rekening openen.
Ik wil graag een creditcard aanvragen.
Ik wil lid worden van de bibliotheek. Hoe gaat dat?

---

 4 Doe de opdrachten van Routines bij Voorbereiden op de computer.

● ● ● Uitvoeren

 5 Voer het gesprek.

Cursist A werkt bij een bank. Cursist B is de klant.
Cursist B wil een bankrekening openen. Hij wil informatie over
verschillende bankrekeningen.

Wissel van rol.

● ● ● Afronden

6 Bespreek onderstaande vragen.

Bij welke bank heb jij een bankrekening?
Wanneer betaal je met een pinpas? Wanneer betaal je contant?
Gebruik je een creditcard? Zo ja, voor welke dingen?
Koop je wel eens dingen via internet? Zo ja, wat?
Wat vind jij van betalen via internet? Noem een voordeel en een nadeel.

TAAK 4 Informatie vragen en geven op het gemeentehuis

● ● ● Voorbereiden

1 **Kijk naar de illustraties en beantwoord de vraag.**

Kruis aan.
Een gemeente kan zijn:
☐ een grote stad.
☐ een aantal grote steden samen.
☐ een aantal kleine dorpen samen.

2 **Wat hoort bij elkaar?**

Lees de tekst op bladzijde 39 en de titels hieronder. Schrijf de titel boven het stukje tekst waar hij bij hoort.

Titels:
a Afval, waar laat je het?
b Wat doet de gemeente?
c Gaat u verhuizen?
d Een rijbewijs aanvragen
e De geboorte van een kind aangeven
f Wat doe je op het gemeentehuis?

3 **Lees de vragen en de tekst. Beantwoord de vragen.**

1 Welke dingen doet de gemeente?

_____

_____

_____

_____

2 Voor welke dingen ga je naar het gemeentehuis?

_____

_____

3 Welke zin is waar?
   a Het huisvuil wordt in alle gemeentes twee maal per week opgehaald.
   b Het huisvuil wordt in veel gemeentes twee maal per week opgehaald.
   c Iedere gemeente heeft zijn eigen vuilophaalsysteem.

4 Wat gebeurt er met het glas uit de glasbak?

_____

5 Je verhuist naar een andere gemeente. Binnen hoeveel werkdagen
   moet je dit laten weten op het gemeentehuis?

_____

6 Welke zin is waar?
   a Als je naar een andere gemeente verhuist, moet je altijd naar het
      gemeentehuis gaan om dit bekend te maken.
   b Als je naar een andere gemeente verhuist, hoef je niet naar het
      gemeentehuis te gaan om dit bekend te maken.

7 Na hoeveel jaar heb je een nieuw rijbewijs nodig?

_____

8 Je hebt een kind gekregen. Binnen hoeveel werkdagen moet je dit
   laten weten op het gemeentehuis?

_____

9 Wie kan de geboorte van een kind op het gemeentehuis bekendmaken?
   a alleen de vader
   b alleen de moeder
   c beiden

De gemeente

1

Iedereen woont in een gemeente. Een gemeente is een stad of een dorp of een paar dorpen samen. De gemeente heeft veel functies. Ambtenaren van de gemeente controleren bijvoorbeeld of alle kinderen naar school gaan. De gemeente houdt de stad schoon en zorgt voor goede straten en fietspaden. Ook zorgt de gemeente voor de bomen en de parken in de stad. Veel mensen vinden het belangrijk dat er voldoende groen is in de stad.

2

Iedere gemeente heeft een gemeentehuis of stadskantoor. Bijna iedereen moet wel eens naar het gemeentehuis. Meestal naar de afdeling Burgerzaken.
Als je in een gemeente komt wonen, moet je dat laten weten op het gemeentehuis. Mensen die gaan trouwen, doen dat meestal op het gemeentehuis, maar tegenwoordig kun je ook een andere plaats kiezen om te trouwen. Er moet dan wel een ambtenaar van het gemeentehuis aanwezig zijn.
Als je een baby hebt gekregen, moet je de geboorte aangeven op het gemeentehuis. Voor een nieuw paspoort of rijbewijs moet je ook naar het gemeentehuis. Het gemeentehuis is dus een belangrijke plaats voor alle mensen.

3

In veel gemeentes in Nederland wordt het huisvuil één keer per week opgehaald. De bewoners krijgen een grote vuilnisbak, waarin zij zelf vuilniszakken kunnen verzamelen. Veel mensen hebben ook een gft-bak. Hierin kunnen ze al hun afval uit de tuin doen en van hun groente en fruit. Eén keer per week worden die bakken aan de straat gezet. De gemeente komt al het vuil ophalen. Ook maken de mensen van de gemeente de straat schoon. Glas moet je in een speciale glasbak doen. En oud papier, zoals kranten, in de papierbak. In sommige gemeentes staan sinds 2010 ook bakken voor plastic. Glasbakken, papierbakken en plasticbakken staan op centrale punten in de gemeente. Op die manier kunnen deze materialen nog een keer gebruikt worden. Dat is beter voor het milieu. Grote dingen, zoals oude meubels, elektrische apparaten en tuinafval, kunnen naar speciale plaatsen worden gebracht.

4

Wanneer je vanuit een plaats in Nederland verhuist naar een andere gemeente, moet je dat binnen vijf werkdagen bij het gemeentehuis van je nieuwe woonplaats laten weten. Je moet dan meenemen: een legitimatiebewijs (paspoort of rijbewijs) en een bewijs dat je de woning huurt of hebt gekocht.
Je kunt je verhuizing ook schriftelijk bekendmaken. Dan moet je bij de brief ook een kopie van de documenten meesturen.

5 _____

Om bij de gemeente een rijbewijs aan te kunnen vragen, moet je in die gemeente wonen. Een rijbewijs is tien jaar geldig. Daarna moet je een nieuw rijbewijs aanvragen.

Als je je rijbewijs niet meer kunt vinden of als het gestolen is, moet je de politie daarvan op de hoogte brengen. Pas daarna kun je naar het gemeentehuis gaan voor een nieuw rijbewijs.

Soms kun je een rijbewijs dat je buiten Nederland hebt gekregen, ruilen voor een Nederlands rijbewijs. Dat is alleen mogelijk als je in Nederland woont.

6 _____

De geboorte van een kind moet binnen drie werkdagen op het gemeentehuis bekendgemaakt worden. Dit moet gebeuren bij de gemeente waarin het kind is geboren. De gemeente geeft dan een geboortebewijs. Je kunt de gemeente van de geboorte op de hoogte brengen, als je de vader of de moeder van het kind bent. Ben je dat niet, maar was je wel aanwezig bij de geboorte? Of heeft de geboorte in jouw huis plaatsgevonden? Dan kun je ook aangifte doen.

 4 Doe de opdrachten van Luisteren bij Voorbereiden op de computer.

 5 Doe de opdrachten van Woorden bij Voorbereiden op de computer.

 Routines

Op het gemeentehuis

Hoe vraag je dat?

Kunt u zich legitimeren?
Hebt u een legitimatiebewijs bij u?
Hebt u een bewijs dat de woning van u is?
Hebt u een bewijs dat u de woning huurt?

Hoe zeg je dat?

Ik kom de geboorte van mijn dochter / zoon aangeven.
Ik heb een legitimatiebewijs / rijbewijs / paspoort bij me.
Ik heb een bankafschrift bij me. Daar staat mijn adres op.

 6 Doe de opdrachten van Routines bij Voorbereiden op de computer.

• • • Uitvoeren

7 **Voer het gesprek.**

Cursist A heeft een baby gekregen. Cursist B werkt op het gemeentehuis.

Wissel van rol.

8 **Voer het gesprek.**

Cursist A is verhuisd. Hij gaat naar het gemeentehuis. Cursist B werkt op het gemeentehuis.

Wissel van rol.

• • • Afronden

9 **Schrijf een e-mail naar de gemeente Weesp.**

Je gaat binnenkort met je gezin verhuizen naar Weesp. Je komt uit een andere gemeente en je wilt informatie over wonen in de gemeente Weesp.

Je geeft informatie over:
- je voornaam, achternaam;
- je oude adres en je nieuwe adres;
- de datum waarop je in Weesp gaat wonen.

Je wilt informatie over:
- de openingstijden van het gemeentehuis;
- het ophalen van afval;
- het openbaar vervoer;
- scholen voor je kinderen van zes en acht jaar;
- de bibliotheek.

Begin je e-mail zo:
Geachte heer, mevrouw,

Op 4 september verhuis ik van Huizen naar Weesp.

Sluit af met:
Met vriendelijke groet,

(je naam)

Cultuur

Voor en achter de balie

Voor veel dingen moet je in Nederland naar een balie. Bijvoorbeeld naar het gemeentehuis, de bank of naar het postkantoor. Meestal zijn er al meer mensen en moet je wachten tot je aan de beurt bent. Je kunt niet even iets anders gaan doen, want dan ben je je plaats kwijt. Soms kun je een nummertje trekken uit een apparaat en kun je bij de balie zien welk nummer aan de beurt is. Als het nog erg lang duurt voor jouw nummer aan de beurt is, kun je bijvoorbeeld wel even een boodschap gaan doen. Maar niet te lang, want als jouw nummer geweest is, moet je weer een nieuw nummer trekken. Voor de ambtenaar achter de balie zijn alle klanten hetzelfde. Iemand die zichzelf heel belangrijk vindt, is niet eerder aan de beurt. De ambtenaren proberen je zo goed mogelijk te helpen. Ook als je nog niet zo goed Nederlands spreekt. Veel schriftelijke informatie kun je bovendien ook in andere talen, zoals Engels, Turks of Arabisch krijgen.

Hoe gaat het achter de balie in jouw land? Schrijf op.

Schrijf vijf dingen op waar je aan denkt bij het woord balie in Nederland en in jouw land.

Nederland	Mijn land
_____	_____
_____	_____
_____	_____
_____	_____
_____	_____

Vergelijk je antwoorden met twee medecursisten.

Bespreek samen de resultaten.

Slot

Vraag informatie op het postkantoor.

Ga naar het postkantoor in je woonplaats. Vraag informatie. Je wilt antwoord op onderstaande vragen.
Wat zijn de openingstijden van het postkantoor?
Wanneer komt een brief aan in … (een andere stad in Nederland)?
Wanneer komt een brief aan in … (jouw land)?
Hoelang duurt het voordat een pakket in … (jouw land) aankomt?
Wat kun je allemaal kopen op het postkantoor?

Schrijf de antwoorden op en neem ze mee naar de les.

Bespreek samen de resultaten.

Grammatica en spelling

Dit is de theorie bij Grammatica en spelling. De oefeningen staan op www.codeplus.nl, deel 2, hoofdstuk 2, Oefenen, Grammatica en spelling.

Taak 1

De infinitief met 'te' en zonder 'te'   **Het verbum**

U kunt de boeken het beste in een pakket sturen.

U mag hier uw pinpas insteken.

Ik wil een brief naar mijn zus sturen.

▶▶ Na:

kunnen

mogen

moeten

willen

zullen

komt geen te voor de infinitief.

▶▶ Na andere werkwoorden komt wel te voor de infinitief:

Ik probeer een pakje naar mijn familie te sturen.

Op deze brief hoef je geen postzegel te plakken.

Let op:

Je moet komen. → Je hoeft niet te komen.

Taak 3

Twee hoofdzinnen   **De zin**

hoofdzin		hoofdzin
Betalen met een pinpas is makkelijk	en	het is gratis.
Ik wil graag een pen lenen,	want	ik heb geen pen bij me.
Een creditcard is wel handig,	maar	ik gebruik hem niet zo vaak.
Ik heb geen geld bij me,	dus	ik wil met mijn pinpas betalen.
U kunt contant betalen	of	u kunt met een pinpas betalen.

▶▶ En, want, maar, dus en of zijn conjuncties (verbindingswoorden).
Ze verbinden twee hoofdzinnen.

Lezen en schrijven

1 Lees de vragen en de tekst. Beantwoord de vragen.

1 Je bent een week geleden verhuisd. Je hebt de verhuisservice van
PostNL gebruikt.
Je tante uit Amerika heeft een brief naar je oude adres gestuurd. Waar
komt de brief aan?
a op het oude adres
b op het nieuwe adres

2 Je wilt de verhuisservice van PostNL gebruiken. Wat kun je doen?
a een formulier van het postkantoor invullen
b op internet een formulier invullen
c beide

PostNL Verhuisservice

Uw post verhuist automatisch met u mee!
U gaat verhuizen en wilt uw post meteen op
uw nieuwe adres ontvangen. Dat kan met
de PostNL Verhuisservice. Met deze service
kunt u uw nieuwe adres doorgeven, zodat
uw familie, vrienden en bedrijven post naar
dit nieuwe adres kunnen sturen. Stuurt
iemand toch post naar uw oude adres? Dan
zorgt PostNL ervoor dat u deze post op uw
nieuwe adres ontvangt. Vraag de
Verhuisservice aan via verhuisservice.nl.

2 Schrijf een e-mail aan de gemeente.

Je moet een nieuw paspoort hebben. Je werkt van maandag tot en met
vrijdag van 9.00 uur tot 17.00 uur en dan kun je niet naar het gemeentehuis
gaan. Je wilt weten of het gemeentehuis 's avonds of op zaterdag open is.

Begin je e-mail zo:
Geachte heer, mevrouw,

HOOFDSTUK 3 Lees eerst de bijsluiter

Dit hoofdstuk gaat over gezond en niet gezond.

Introductie	48	
Taak 1	Informatie over medicijnen begrijpen	49
Taak 2	Een telefoongesprek voeren met de huisartsenpost	53
Taak 3	Klachten beschrijven bij de huisarts	55
Taak 4	Vragen stellen en beantwoorden over gezond leven	59
Slot	62	
Grammatica en spelling	63	
Lezen en schrijven	64	

Introductie

1.1 **Wat hoort bij elkaar? Schrijf de zinnen onder de foto's.**

a_____

b_____

c_____

d_____

e_____

_____ Je bent weer beter.   _____ Je gaat naar de apotheek.

_____ Je gaat naar de dokter en   _____ Je krijgt het medicijn.

krijgt een recept.   _____ Je bent ziek.

1.2 **Zet de zinnen van 1.1 in de goede volgorde. Geef elke zin een nummer: 1, 2, 3, 4, en 5.**

TAAK 1 Informatie over medicijnen begrijpen

● ● ● Voorbereiden

1 Wat hoort bij elkaar? Vul de goede letter in.

Je zoekt informatie in de bijsluiter van een medicijn. Bij welk kopje vind je de informatie?

1 Wat doet het medicijn?
2 Welke vervelende effecten kan het medicijn hebben?
3 Ik wil het medicijn gebruiken en ik word moeder. Mag ik het medicijn gebruiken?
4 Hoeveel van het medicijn moet ik nemen?
5 Tot wanneer kan ik het medicijn gebruiken?

a Bewaren
b Dosering
c Bijwerkingen
d Werking
e Zwangerschap en borstvoeding

1 ____

2 ____

3 ____

4 ____

5 ____

 2 Doe de opdrachten van Woorden bij Voorbereiden op de computer.

• • • **Uitvoeren**

 3.1 Zoek de informatie in de bijsluiter. Beantwoord de vragen.

Cursist A leest de vragen van cursist A en zoekt de antwoorden in de bijsluiter van xylometazoline. Cursist B leest de vragen van cursist B en zoekt de antwoorden in de bijsluiter van paracetamol.

Cursist A

		ja	nee
1	Kun je hoofdpijn krijgen van xylometazoline?	☐	☐
2	Een vrouw is zwanger. Mag ze xylometazoline gebruiken?	☐	☐
3	Een kind is twee jaar. Mag het xylometazoline gebruiken?	☐	☐
4	Mag je xylometazoline tien dagen achter elkaar gebruiken?	☐	☐
5	Je hebt xylometazoline gebruikt en na zes maanden wil je hetzelfde flesje weer gebruiken. Mag dat?	☐	☐
6	Je gebruikt xylometazoline, maar het helpt niet. Je hebt elke dag hoofdpijn. Moet je de huisarts bellen?	☐	☐

Bijsluiter xylometazoline neusdruppels
Werkzame stof: xylometazoline

Werking
Dit geneesmiddel helpt bij een dichte neus. Door xylometazoline gaat de dichte neus weer open. Het geneesmiddel werkt na enkele minuten en blijft 5 tot 6 uur werken.

Bijwerkingen
Een droog gevoel in de neus. Soms hoofdpijn, slapeloosheid. Neem contact op met uw arts of apotheker als de bijwerkingen blijven.

Wanneer niet gebruiken
U mag dit geneesmiddel niet gebruiken als u allergisch bent voor xylometazoline of benzalkoniumchloride.

Zwangerschap en borstvoeding
U kunt dit geneesmiddel zonder problemen gebruiken als u zwanger bent of borstvoeding geeft.

Dosering
De dosering voor xylometazoline is:
- volwassenen en kinderen ouder dan 6 jaar: 2 tot 3 druppels van xylometazoline 0,1% in elk neusgat, 1 tot 3 maal per dag, gedurende 3 tot 5 dagen;
- kinderen van 2 tot 6 jaar: 1 tot 2 druppels van xylometazoline 0,05% in elk neusgat, 1 tot 2 maal per dag, maximaal 3 maal per dag, gedurende 3 tot 5 dagen;
- kinderen jonger dan 2 jaar: 1 tot 2 druppels van xylometazoline 0,025% in elk neusgat, 1 tot 2 maal per dag, maximaal 3 maal per dag, gedurende 3 tot 5 dagen.
Gebruik xylometazoline niet langer dan 5 dagen.
Snuit de neus goed voor gebruik.

Let op
Uw neus blijft dicht als u dit geneesmiddel te lang gebruikt. Uw neus gaat dan ook met dit medicijn niet meer open. Vraag advies aan uw arts als dit medicijn niet helpt.

Bewaren
Sluit het flesje goed. Bewaar het bij kamertemperatuur. Na het eerste gebruik kunt u de neusdruppels nog drie maanden gebruiken.

Samenstelling
Xylometazoline neusdruppels bevatten per ml (= milliliter) 0,25 mg (0,025%), of 0,5 mg (0,05%) of 1 mg (0,1) xylometazolinehydrochloride.

Cursist B

		ja	nee
1	Je hebt hoofdpijn en je hebt koorts. Mag je paracetamol gebruiken?	☐	☐
2	Een vrouw is zwanger. Mag ze zelf besluiten om paracetamol te gebruiken?	☐	☐
3	Een kind is vijf jaar. Mag het deze paracetamol tabletten gebruiken?	☐	☐
4	Je bent volwassen. Mag je vier tabletten van 500 mg op een dag gebruiken?	☐	☐
5	Mag je paracetamol tien dagen achter elkaar gebruiken?	☐	☐
6	Een vriend drinkt veel alcohol. Mag hij zes tabletten van 500 mg per dag gebruiken?	☐	☐

Bijsluiter paracetamol tabletten
Werkzame stof: paracetamol

Werking
Dit geneesmiddel helpt bij pijn en werkt koortsverlagend. Paracetamol kan gebruikt worden bij hoofdpijn, koorts en pijn bij griep en verkoudheid, spierpijn en menstruatiepijn.

Bijwerkingen
Bij overgevoeligheid voor paracetamol kunnen problemen met de huid voorkomen. Als u paracetamol lang en in hoge dosering gebruikt, kan schade aan de lever ontstaan.

Wanneer niet gebruiken
U mag dit geneesmiddel niet gebruiken als u allergisch bent voor paracetamol. Uw arts kan zien of u overgevoelig bent voor paracetamol.

Zwangerschap en borstvoeding
Bent u zwanger of geeft u borstvoeding? Dan mag u maximaal een week paracetamol gebruiken, maximaal vier tabletten per dag. Hebt u meer nodig? Neem dan contact op met uw arts.

Dosering
Meestal geven deze doseringen voldoende resultaat:
Kinderen van 6 - 9 jaar: een halve tablet van 500 mg, 4 - 6 maal per dag.
Kinderen van 9 - 12 jaar: 1 tablet van 500 mg, 3 - 4 maal per dag.
Kinderen van 12 - 15 jaar: 1 tablet van 500 mg, 4 - 6 maal per dag.
Volwassenen: 1 of 2 tabletten van 500 mg, maximaal 6 maal per dag.

Let op
Wanneer uw klachten langer dan 14 dagen duren, moet u advies vragen aan uw arts. Als u veel alcohol gebruikt, mag u niet meer dan 2 gram paracetamol per dag gebruiken.

Bewaren
Bewaar de tabletten op een droge plaats. Zorg dat kinderen niet bij het medicijn kunnen. Op het medicijn staat tot wanneer het gebruikt kan worden.

3.2 Vraag advies aan een medecursist.

Cursist A Je bent verkouden, je hebt hoofdpijn en koorts. Vraag cursist B welk medicijn je moet nemen. Hoeveel van het medicijn mag je nemen? Hoelang mag je het medicijn gebruiken?

Cursist B Je dochtertje van drie jaar is erg verkouden. Haar neus zit dicht en ze kan niet slapen. Vraag cursist A welk medicijn ze kan nemen. Hoeveel van het medicijn mag ze nemen? Hoelang mag ze het medicijn gebruiken?

 3.3 Controleer de antwoorden.

Cursist A Zoek de antwoorden op de vragen van 3.2 in de bijsluiter van paracetamol. Heb je een goed advies gekregen?

Cursist B Zoek de antwoorden van 3.2 in de bijsluiter van xylometazoline. Heb je een goed advies gekregen?

 4 Doe de opdrachten van Woorden bij Uitvoeren op de computer.

• • • Afronden

 5.1 Zoek informatie in een bijsluiter.

Zoek een bijsluiter van een medicijn. Maak een lijstje van vragen. Zoek de antwoorden in de bijsluiter. Schrijf de antwoorden kort op.

 5.2 Stel vragen over informatie in een bijsluiter.

Neem de bijsluiter van opdracht 5.1 mee naar de les. Cursist A stelt de vragen bij de bijsluiter van cursist A. Cursist B zoekt het antwoord in de bijsluiter van cursist A. Cursist A controleert het antwoord.

Wissel van rol.

6 Bespreek samen de vragen.

Lees jij altijd de bijsluiter?
Zit er in jouw land altijd een bijsluiter bij medicijnen?
Kun je in jouw land zelf medicijnen kopen zonder recept? Zo ja, welke?

Taak 2 Een telefoongesprek voeren met de huisartsenpost

● ● ● Voorbereiden

1   Lees de tekst en beantwoord de vragen.

1   Het is maandag. Je wilt een afspraak maken met je huisarts, maar die heeft vandaag geen tijd voor je. Je kunt pas voor dinsdag een afspraak maken. Kun je de huisartsenpost bellen?
   a   ja
   b   nee

2   Het is zondag. Je zoontje heeft plotseling hoge koorts. Kun je de huisartsenpost bellen?
   a   ja
   b   nee

De huisartsenpost

's Avonds en in het weekend is de praktijk van de huisarts gesloten. Hebt u buiten de openingstijden van de praktijk dringend een arts nodig, dan kunt u bellen met een huisartsenpost bij u in de buurt.
De huisartsenpost is alleen open tijdens avond- en nachturen, weekenden en feestdagen. U kunt alleen naar de huisartsenpost gaan als u telefonisch een afspraak hebt gemaakt. U kunt alleen een afspraak maken voor spoedgevallen.

 2   Doe de opdrachten van Luisteren bij Voorbereiden op de computer.

 3   Doe de opdrachten van Woorden bij Voorbereiden op de computer.

● ● ● Uitvoeren

 4   Voer twee gesprekken.

Draai jullie stoelen om. Jullie zien elkaar niet.
Bij gesprek 1 werkt cursist A bij de huisartsenpost. Cursist B is de patiënt. Cursist A begint het gesprek.
Bij gesprek 2 is cursist A de patiënt en werkt cursist B bij de huisartsenpost. Cursist B begint het gesprek.

● ● ● Afronden

5 Doe de opdrachten van Luisteren bij Afronden op de computer.

Je hoort hoe het gesprek bij de dokter kan gaan.

6 Zoek informatie over de praktijk van je huisarts. Beantwoord de vragen.

Ga naar de praktijk van je huisarts. Vraag de praktijkfolder of kijk of er informatie op internet staat.

1 Wanneer kun je bellen voor een afspraak?

_____

2 Wanneer is de praktijk gesloten?

_____

3 Wat doe je 's morgens en 's middags bij spoedgevallen?

_____

4 Wanneer moet je de huisartsenpost bellen?

_____

5 Je gebruikt vaker hetzelfde medicijn. Je wilt een nieuw recept. Kun je bellen voor het recept?

_____

6 Waar kun je het recept ophalen?

_____

7 Kun je voor kleine problemen ook een afspraak maken bij de assistente van de dokter?

_____

Bespreek samen de resultaten.

Taak 3 Klachten beschrijven bij de huisarts

• • • Voorbereiden

1 Bij welke klacht ga jij naar de huisarts? Kruis aan.

☐ Ik heb hoofdpijn.
☐ Ik hoest al een week.
☐ Ik heb pijn in mijn borst en in mijn rechterarm.
☐ Ik heb koorts, 38,6 °C.
☐ Ik slaap heel slecht.

2 Doe de opdrachten van Luisteren bij Voorbereiden op de computer.

3 Doe de opdrachten van Woorden bij Voorbereiden op de computer.

 **Routines**

Een klacht beschrijven bij de huisarts
Mijn knie doet pijn.
Ik heb koorts. / Ik heb geen koorts.
Ik heb last van mijn keel.
Ik heb pijn in mijn borst.

4 Doe de opdrachten van Routines bij Voorbereiden op de computer.

Uitvoeren

 5 **Bij de huisarts. Voer de gesprekken.**

Bij gesprek 1 en 3 is cursist A de dokter. Cursist B is de patiënt. Cursist A begint het gesprek.
Bij gesprek 2 is cursist A de patiënt en is cursist B de dokter. Cursist B begint het gesprek.

6 **Bij de huisarts. Voer het gesprek.**

Cursist A Je bent huisarts. Je vraagt naar het probleem van cursist B.
Cursist B Je bent patiënt. Bedenk zelf een aantal problemen. Geef antwoord op de vragen van cursist A.

Voorbeeldzinnen voor cursist A:
- Wat kan ik voor u doen?
- Vertel eens.

Voorbeeldzinnen voor cursist B:
- Ik heb last van mijn rug.
- Ik heb pijn in mijn rug.

Wissel van rol.

● ● ● Afronden

7 Doe de opdrachten van Luisteren bij Afronden op de computer.

Je hoort hoe het gesprek bij de dokter kan gaan.

⊙ Cultuur

Naar de huisarts?

Ben je ziek? Dan kun je niet meteen naar het ziekenhuis gaan. Je moet in Nederland altijd eerst naar de huisarts. De huisarts doet veel dingen zelf, maar soms beslist hij dat een specialist naar je moet kijken. Hij schrijft dan een korte brief en met die brief ga je naar de specialist. Dit noem je 'verwijzen' en die brief heet een 'verwijsbrief'. Zonder zo'n verwijsbrief helpt de specialist je niet.

Sommige mensen gaan heel vaak naar de huisarts. Anderen komen er bijna nooit. Hoe vaak je naar de huisarts gaat, hangt natuurlijk af van je gezondheid. Maar er zijn ook verschillen die daar niet mee te maken hebben. Nederlandse mannen onder de 35 gaan bijvoorbeeld minder vaak naar de huisarts dan Nederlandse vrouwen van die leeftijd. Veel allochtonen gaan vaker naar de huisarts dan Nederlanders.

Hoe gaat het in jouw land? Kruis aan.

		Nederland	Mijn land
1	Bijna iedereen heeft een huisarts.	☐	☐
2	Als iemand koorts heeft, gaat hij altijd naar de huisarts.	☐	☐
3	De huisarts komt vaak bij de mensen thuis.	☐	☐
4	De huisarts heeft altijd veel tijd voor je.	☐	☐
5	Je krijgt bij de huisarts altijd medicijnen.	☐	☐
6	Je kunt bijna alle medicijnen ook zonder recept bij de apotheek kopen.	☐	☐
7	Alle medicijnen betaal je in de apotheek zelf.	☐	☐

 Vergelijk je antwoorden met twee medecursisten.

 Bespreek samen de antwoorden.

TAAK 4 Vragen stellen en beantwoorden over gezond leven

● ● ● Voorbereiden

1 **Wat is gezonder? Kruis aan.**

☐ gegrild vlees
☐ vlees gebakken in veel olie of boter

☐ tien sigaretten per dag roken
☐ één glas wijn per dag drinken

☐ één keer per week sporten
☐ één keer per week naar de sauna

☐ niet ontbijten
☐ niet snoepen

2 **Doe de opdrachten van Luisteren bij Voorbereiden op de computer.**

3 **Doe de opdrachten van Woorden bij Voorbereiden op de computer.**

4 **Wie leeft het meest gezond? Wie leeft het minst gezond? Zet de namen in de goede volgorde.**

Kemal
sport: 2 keer per week
alcohol: 8 - 10 glazen per week
roken: niet-roker
maaltijden: lunch, avondeten

Johan
sport: 1 keer per week
alcohol: 15 - 20 glazen per week
roken: 10 sigaretten per dag
maaltijden: lunch, avondeten

Nienke
sport: 3 keer per week
alcohol: drinkt geen alcohol
roken: niet-roker
maaltijden: ontbijt, lunch, avondeten

Shirley
sport: sport niet
alcohol: 15 - 20 glazen per week
roken: 25 - 30 sigaretten per dag
maaltijden: lunch, avondeten

1 _____

2 _____

3 _____

4 _____

● ● ● Uitvoeren

5.1   Wat eet en drink je op een dag? Vul in.

Vul bij ontbijt, lunch, avondeten en tussendoor in wat je gisteren hebt gegeten en gedronken. Vul ook in hoeveel. Je vult bij ontbijt bijvoorbeeld in: 2 boterhammen, 1 beker melk, 1 glas sap.

	ontbijt	lunch	avondeten	tussendoor
melk				
yoghurt				
groente				
fruit				
aardappelen				
kaas				
vlees				
vis				
ei				
boter				
olie				
boterhammen				
pasta				
rijst				
wijn				
bier				
water				
sap				
koffie				
thee				

5.2 Kijk naar de illustratie. Eet en drink je gezond? Kruis aan ja, nee of weet niet.
Waarom denk je dat?

Tip: Kijk nog eens naar wat je hebt ingevuld bij opdracht 5.1.
☐ ja
☐ nee
☐ weet niet

 5.3 Bespreek de antwoorden van opdracht 5.1 en 5.2.

Wie van jullie eet het gezondst?
Bestaat gezond eten in jouw land uit dezelfde producten?

 6 Bespreek samen of je gezond leeft.

Doe je aan sport?
Beweeg je veel?
Rook je?
Drink je alcohol?
Snoep je veel?

7 **Bespreek samen de resultaten van opdracht 5 en 6.**

Wie van jullie leeft gezond? Wie van jullie leeft ongezond? Wat kun je daaraan doen?

• • • Afronden

 8 **Wie weet het meest over gezond eten en drinken? Doe de test.**

Cursist A stelt vragen aan cursist B en aan cursist C. Cursist A vult in wat cursist B en C antwoorden. Op het werkblad van cursist A staan de goede antwoorden. Cursist A zegt of een antwoord goed of fout is. Cursist A schrijft de punten op. Ieder goed antwoord is een punt. De cursist met de meeste punten wint.

Slot

1 **Doe de opdrachten bij Slot op de computer.**

 2 **Voer het gesprek.**

Draai jullie stoelen om. Jullie zien elkaar niet.
Cursist A is de docent. Cursist B is de cursist. Cursist B heeft vandaag Nederlandse les, maar hij is ziek. Hij belt de docent. De docent neemt de telefoon op en begint het gesprek.

Wissel van rol.

Grammatica en spelling

Dit is de theorie bij Grammatica en spelling. De oefeningen staan op www.codeplus.nl, deel 2, hoofdstuk 3, Oefenen, Grammatica en spelling.

Taak 1

De hoofdzin en de bijzin. De hoofdzin staat voorop.   De zin

hoofdzin	*bijzin*
U neemt dit geneesmiddel niet	als u allergisch bent.
Ik neem paracetamol	omdat ik hoofdpijn heb.
De dokter zegt	dat ik bronchitis heb.

▸▸ De zin begint met een hoofdzin. De persoonsvorm (pv) staat op de tweede plaats. Dan komt de bijzin. In de bijzin staat de persoonsvorm (pv) aan het eind van de bijzin.

hoofdzin	*bijzin*
Ik neem paracetamol	omdat ik hoofdpijn heb.

▸▸ Als, omdat en dat zijn conjuncties (verbindingswoorden). Ze verbinden een hoofdzin en een bijzin.

▸▸ Het subject van de bijzin staat na de conjuctie.
Ik neem paracetamol omdat ik hoofdpijn heb.

Let op:
Ik kan niet betalen, want ik heb geen pinpas (want → woordvolgorde hoofdzin).
Ik kan niet betalen, omdat ik geen pinpas heb (omdat → woordvolgorde bijzin).

Lezen en schrijven

 1 **Lees de brief. Schrijf een antwoord.**

Onderstaande brief komt uit een tijdschrift voor jongeren.

Wat moet ik doen?

Ik ben een meisje van elf en ik heb heel veel hoofdpijn. Dat is toch niet normaal?
Mijn vader en moeder en mijn kleine broertje hebben nooit hoofdpijn. Mijn moeder
zegt: 'Ga maar op tijd naar bed, dat helpt.' Nou, dat kan echt niet. Na school kijk ik
televisie of ga ik met een vriendin naar de stad. 's Avonds moet ik huiswerk maken
en wil ik chatten op de computer met mijn vriendinnen. Dat is toch ook belangrijk?
En dan heb je 's avonds ook nog zoveel programma's op tv. In het weekend heb ik
het ook druk, want dan heb ik hockey.
Wat moet ik doen? Ik wil geen hoofdpijn meer.
Mijn vader en moeder willen niet dat ik pillen slik.

Isabelle

Beste Isabelle,

_____

_____

_____

_____

2 Schrijf een e-mail aan je docent.

Morgen heb je Nederlandse les, maar je bent ziek.

```
⊖ ⊖ ⊖                                    Nieuw bericht                                    ⬭
  ✈       ⊕      📎        @        A         ⬤         📄
Verzend  Chat  Bijlage  Adres  Lettertypen  Kleuren  Bewaar als concept

      Aan:  ┌──────────────────────────────────────────────────────┐
            └──────────────────────────────────────────────────────┘
Onderwerp:  ┌──────────────────────────────────────────────────────┐
            └──────────────────────────────────────────────────────┘
                                          Handtekening:  ┌ Geen        ◆┐
```

3 Schrijf een briefje aan school.

Je dochter van vijftien, Anouschka, was gisteren ziek. Zij kon niet naar school gaan.
Schrijf ook op welke datum zij ziek was.

Geachte heer, mevrouw,

Hoofdstuk 4 Alleen is maar alleen

Dit hoofdstuk gaat over relaties.

Introductie   *68*

Taak 1   Gesprekjes voeren met mensen op straat   *69*

Taak 2   Praten over persoonlijke zaken   *73*

Taak 3   Je familie beschrijven   *77*

Taak 4   Over een relatie praten   *83*

Slot   *87*

Grammatica en spelling   *88*

Lezen en schrijven   *88*

Introductie

 Doe de opdrachten bij Introductie op de computer.

TAAK 1 Gesprekjes voeren met mensen op straat

● ● ● Voorbereiden

1 **Kijk naar de titel van deze taak.**

De taak heet 'Gesprekjes voeren met mensen op straat.' In zo'n gesprekje praat je meestal over 'koetjes en kalfjes'. Wat betekent dat, denk je? Kies het beste antwoord.

a Je hebt een gesprek over eten en drinken, bijvoorbeeld de kwaliteit van vlees.
b Je hebt een kort gesprek over een neutraal onderwerp, bijvoorbeeld het weer.
c Je hebt een gesprek met andere ouders over de kinderen, bijvoorbeeld over hoe het gaat op school.

2 **Lees de zinnen. In welke situaties praat je over 'koetjes en kalfjes'? Kruis aan.**

☐ Je wacht samen met een collega op de bus.
☐ Je eet samen met je broer of zus. Je hebt elkaar lang niet gezien.
☐ Je ziet je buurman in de supermarkt.
☐ Je komt een goede vriendin tegen. Je weet dat ze problemen heeft.
☐ Je staat samen met een collega bij de koffieautomaat.
☐ Je staat in de lift met iemand die je niet kent.

 3 **Doe de opdrachten van Luisteren bij Voorbereiden op de computer.**

 4 **Luister nog een keer naar de tekst van Luisteren bij Voorbereiden op de computer.**

Hoe beginnen de gesprekjes over koetjes en kalfjes? En wat is de reactie? Maak van elk fragment het begin van het gesprek compleet.

Fragment 1

Leo   Hé Marloes, _____?

Marloes   Ja, maar _____

_____

Fragment 2

Marloes   Hallo Leo! _____?

_____?

Leo   Ja, _____

_____

Fragment 3

Yassin   Dag mevrouw De Baard.

Mevrouw   Hé, dag Yassin. _____?

Yassin   Nou, _____

_____

Fragment 4

Alice   Hoi Daria. _____?

Daria   Hé, _____. _____?

Fragment 5

Student 1 Zeg, zie je dat? _____

Student 2 Ja, nou ja, ... _____

5 **Hoe kun je een gesprek over koetjes en kalfjes beginnen? Kruis aan.**

☐ Heb jij het ook zo druk?
☐ Lekker weer vandaag, hè?
☐ Ik voel me helemaal niet lekker.
☐ Woont u hier ook in de buurt?
☐ Ik moet je iets heel ergs vertellen.
☐ Mag ik u een advies geven?
☐ Wat duurt het lang voor die bus komt!
☐ Ik zag dat je een nieuwe auto hebt. Gaaf!

6 **Doe de opdrachten van Woorden bij Voorbereiden op de computer.**

• • • Uitvoeren

 7 Lees samen de gesprekjes van opdracht 4.

 8.1 Bedenk een reactie bij elke aangekruiste zin van opdracht 5.

Bijvoorbeeld: Woont u hier ook in de buurt?
Reactie: Ja, ik woon in de Poortstraat.

 8.2 Wissel van gesprekspartner. Begin een gesprek over koetjes en kalfjes.

Cursist A kiest een aangekruiste zin uit opdracht 5. Cursist B geeft een reactie. Doe dit met alle aangekruiste zinnen.

Wissel na elke zin van rol.

 9 Voer korte gesprekken over koetjes en kalfjes.

Cursist A begint het gesprek bij situatie 1 en 3. Cursist B begint het gesprek bij situatie 2 en 4.

Situatie 1
Je loopt op de markt. Je komt een kennis tegen. Je praat over de prijzen op de markt.

Situatie 2
Je loopt op de markt. Je komt een kennis tegen. Je praat over het weer.

Situatie 3
Je gaat naar buiten. Je ziet dat de buurman bijna op vakantie gaat. Je praat over de vakantie.

Situatie 4
Je staat in de kantine in de rij voor de kassa. Voor je staat je docent. Je praat over de cursus Nederlands.

• • • Afronden

 10 Beantwoord samen de volgende vragen.

1 In het Nederlands zeg je: 'praten over koetjes en kalfjes'. In het Engels zeg je: 'small talk'.
   Is er in jouw taal een uitdrukking voor?
2 Waarover gaan gesprekken over koetjes en kalfjes in jouw land? Wat zijn de onderwerpen?
3 In welke situaties voer je deze gesprekken?
4 Waar praat je in die situaties niet over?

TAAK 2 Praten over persoonlijke zaken

● ● ● Voorbereiden

1 Met wie praat je over de volgende onderwerpen? Over welke van deze onderwerpen praat je niet? Kruis aan.

	een vriend of vriendin	een kennis	een broer of zus	niet
familieproblemen				
hoeveel je verdient				
je sportprestaties				
problemen met geld				
problemen met je studie				
ruzie met je partner				
seksualiteit				
vakantieplannen				
verliefdheid				
wat je van de docent vindt				
wat je van iemands uiterlijk vindt				
wie je aardig vindt				

 2 Doe de opdrachten van Luisteren 1 bij Voorbereiden op de computer.

3 Luister naar de tekst van Luisteren 2 bij Voorbereiden op de computer. Beantwoord de vragen.

1 Monique vraagt aan Julia: 'Hoe is het?' Welke reactie geeft Julia dan?

'_____'

2 Monique vraagt heel direct naar de problemen van Julia. Wat zegt ze?

'Hoezo, het gaat wel? _____?

_____?'

3 Julia zegt dat ze slecht slaapt en doodmoe is. Monique vraagt dan: 'O, maak je je zorgen?' Wat zegt Julia dan? 'Ach nee … nou ja, _____

Het _____'

4 Julia vertelt van haar problemen. Wat is dan het voorstel van Monique? Wat zegt ze?

'Zal ik zo even _____ voor een kopje koffie?'

5 Hoe reageert Julia dan? Wat zegt ze? 'Dat _____'

4 Iemand vraagt je of je problemen hebt. Je wilt er niet over praten. Hoe reageer je? Kruis aan.

☐ Ach nee, het is gewoon erg druk.
☐ Inderdaad, ik voel me helemaal niet goed.
☐ Nee hoor, niets aan de hand.
☐ Eerlijk gezegd gaat het niet zo goed.
☐ Ik slaap de laatste tijd erg slecht.
☐ Ach nee, gewoon een beetje moe.
☐ Ik heb zo'n vreselijke hoofdpijn.

5 Doe de opdrachten van Woorden bij Voorbereiden op de computer.

Routines

Vragen hoe het gaat en reageren
Vragen
Hoe gaat het met je/u?
Hoe is het met je/u?
Hoe is het?
Alles goed?

Reageren
Prima!
(Alles goed?) Ja hoor, en met jou/u/jullie?
Ach, het gaat wel.
Eerlijk gezegd niet zo goed.

 Routines

Vragen naar problemen en reageren
Vragen
Is er soms iets?
Maak je je ergens zorgen over?
Je ziet er moe uit. Is alles goed met je?
U ziet zo wit. Is er iets aan de hand?

Reageren
Nee hoor, er is niets aan de hand.
Ach nee, ik ben gewoon moe.
Ach, het gaat wel, maar ik heb het erg druk.
Nou ja, eigenlijk voel ik me niet zo lekker.

 6 Doe de opdrachten van Routines bij Voorbereiden op de computer.

••• Uitvoeren

 7.1 Voer het gesprek.

Cursist A Je bent sinds een maand heel erg verliefd en de ander is ook verliefd op jou. Je komt een vriend of vriendin (cursist B) tegen. Je vriend of vriendin vraagt hoe het gaat. Je wilt graag over je nieuwe relatie praten.

Cursist B   Je komt een vriend of vriendin (cursist A) tegen. Je vraagt hoe het gaat. Je vriend of vriendin ziet er erg goed uit.

Wissel van rol. Voer het gesprek nog een keer.

 7.2   Voer de gesprekken.

Gesprek 1
Cursist A   Je hebt problemen met geld. Je kunt de huur niet meer betalen. Je zoekt werk. Je komt een vriend of vriendin (cursist B) tegen. Je vriend of vriendin vraagt hoe het met je gaat. Je vertelt over je problemen.

Cursist B   Je komt een vriend of vriendin (cursist A) tegen. Je vraagt hoe het gaat. Je vriend of vriendin heeft problemen. Je wilt helpen. Je stelt voor om langs te komen. Jullie kunnen dan rustig praten.

Gesprek 2
Voer gesprek 1 nog een keer.
De vriend(in) met problemen (cursist A) wil nu **niet** over zijn/haar problemen praten.

Gesprek 3
Cursist B   Je hebt ruzie met je partner. Je komt een vriend of vriendin (cursist A) tegen. Je vriend of vriendin vraagt hoe het gaat. Je wilt graag over je probleem praten.

Cursist A   Je komt een vriend of vriendin (cursist B) tegen. Je vraagt hoe het gaat. Hij of zij heeft problemen en wil graag met je praten. Je stelt voor om samen iets te gaan drinken.

• • • Afronden

 8   Vergelijk de antwoorden die jullie bij opdracht 1 hebben gegeven. Bespreek de antwoorden.

TAAK 3 Je familie beschrijven

● ● ● **Voorbereiden**

1 Kijk naar de illustratie en lees de teksten. Wat hoort bij elkaar? Vul de goede letter in.

a = gezin, b = familie

1	oma	____	7 dochter	____
2	opa	____	8 zoon	____
3	vader	____	9 neef	____
4	moeder	____	10 nicht	____
5	oom	____	11 broer	____
6	tante	____	12 zus	____

Suzan: 'Dit is mijn gezin. Ik ben moeder van twee kinderen. Aan tafel links van mij zit onze zoon Paul. Naast hem zit zijn zus Anne. Anne zit tussen haar broer en haar vader.'

Sanne: 'Hier zijn we met de hele familie bij elkaar. Dat was op de verjaardag van mijn opa. Hij werd toen zeventig jaar. Van links naar rechts zie je tante Nel en oom Ben, mijn opa en mijn oma, daarnaast mijn ouders, ikzelf sta tussen mijn broer en Pieter in. Voor ons op de grond zitten mijn nichtjes Petra en Maartje. Helemaal rechts staan tante Eva en oom Erik. Tante Eva is een zus van mijn vader, oom Ben een broer van mijn vader.

2.1 Kijk naar het schema en lees de tekst.

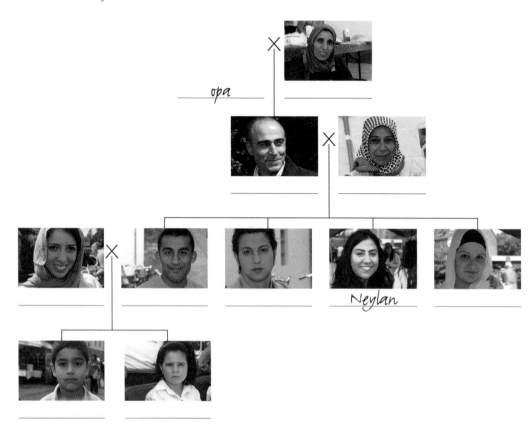

Ik mis mijn familie

Ik heet Neylan en ik kom uit Turkije. Sinds twee jaar woon ik in Nederland. Ik studeer tandheelkunde aan de universiteit in Nijmegen. Tijdens mijn studie heb ik veel vrienden en kennissen leren kennen. Ook in de studentenflat, waar ik woon, zijn veel lieve en aardige mensen. We doen vaak gezellige dingen samen. We eten bijvoorbeeld vaak met elkaar. Omdat ik mijn familie erg mis, voel ik me soms toch wel een beetje eenzaam. Natuurlijk mis ik vooral mijn vader en moeder, maar ook mijn kleine zusje Yulia. We speelden vroeger heel veel samen. Ik heb ook nog twee oudere broers. Zij wonen niet meer thuis. Merzad, de oudste, is getrouwd met Alina. Ze hebben twee kinderen, een jongen en een meisje. Mijn neefje heet Bayram en mijn nichtje heet Sarah. Ik kan het goed met mijn schoonzus vinden. Merzad en Alina hebben een kleine winkel in Ankara. Omdat Ankara ver weg is, zien mijn ouders hun kleinkinderen niet zo vaak. Mijn andere broer heet Daghan. Hij studeert informatica aan de universiteit van Ankara. Hij woont bij Merzad en Alina. Daghan is dus de zwager van Alina. Sinds mijn opa dood is, woont mijn oma bij mijn ouders. Zij is de moeder van mijn vader. Zij is altijd heel lief voor mij en mijn zusje. Mijn ouders missen hun kinderen en kleinkinderen wel, want alleen mijn kleine zusje woont nu nog bij hen. Gelukkig wonen er een paar ooms en tantes van mij in hetzelfde dorp als mijn ouders. In de vakantie ga ik gelukkig naar huis!

2.2 Zet de familieleden van Neylan op de goede plek.

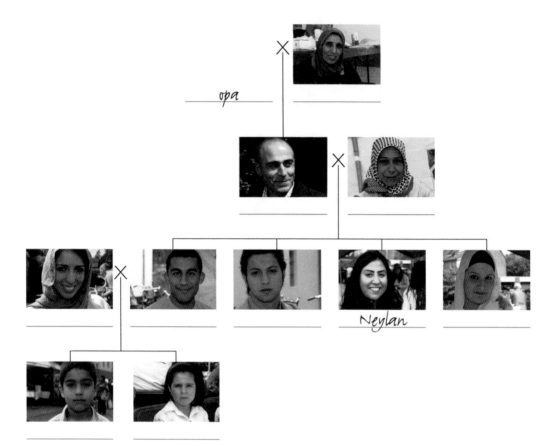

opa

Neylan

 3 Doe de opdrachten van Woorden bij Voorbereiden op de computer.

● ● ● Uitvoeren

 4 Maak een stamboom van elkaar.

Cursist A stelt vragen aan cursist B over zijn familie. Daarna tekent hij de stamboom van cursist B.

Controleer de stamboom.

Wissel van rol.

Cultuur

Gezin en familie

Het Nederlands heeft, als een van de weinige talen, een apart woord voor 'gezin'. Een gezin bestaat uit ouders en kinderen. Ze wonen bijna altijd apart van de rest van de familie. De familie is veel groter: opa's en oma's, tantes en ooms en neven en nichten. In Nederland zijn vooral de relaties binnen het gezin belangrijk. De band met de ouders, de broers en zussen is sterk. De band binnen de familie kan meer of minder sterk zijn. Soms is er veel contact, soms heel weinig. Dat hangt ook af van de afstand. Als de familieleden ver van elkaar wonen, zien ze elkaar minder en zijn de banden losser. Soms zijn de banden juist wel sterk, bijvoorbeeld tussen kleinkinderen en opa's en oma's.

Lees de vragen. Beantwoord de vragen.

1 Met wie woonde je samen in één huis, toen je klein was? Kruis aan.
   ☐ opa   ☐ zus
   ☐ oma   ☐ oom
   ☐ vader   ☐ tante
   ☐ moeder   ☐ neef
   ☐ broer   ☐ nicht

2 Met wie woon je nu samen in één huis? Of: met wie wil je samen in één huis wonen als je een gezin hebt? Kruis aan.
   ☐ vrouw/man   ☐ tante
   ☐ moeder   ☐ opa
   ☐ vader   ☐ oma
   ☐ kinderen   ☐ schoonvader
   ☐ oom   ☐ schoonmoeder

3 Met wie heb je een sterke band? En met wie niet zo'n sterke band? Kruis aan.

	sterk	niet zo sterk
vader	☐	☐
moeder	☐	☐
broer	☐	☐
zus	☐	☐
opa	☐	☐
oma	☐	☐
neef	☐	☐

	sterk	niet zo sterk
nicht	☐	☐
oom	☐	☐
tante	☐	☐
zwager	☐	☐
schoonzus	☐	☐
schoonvader	☐	☐
schoonmoeder	☐	☐

 Vergelijk je antwoorden met twee medecursisten.

 Bespreek samen de antwoorden.

5 Schrijf over je familie. Noem niet je eigen naam. Vertel niet uit welk land je komt.

Je kunt informatie geven over:
- je ouders (werk, leeftijd)
- broers en zussen (werk, leeftijd, kinderen)
- je opa en oma
- je familiecontacten (met wie heb je veel contact?)

Geef je verhaal aan de docent.

 6 Wie hoort bij deze familie? Loop rond en stel vragen.

Je krijgt van de docent de beschrijving van een familie. Zoek de cursist die bij deze familie hoort.

● ● ● Afronden

 7.1 Bespreek samen de vragen.

1 Wie komt uit het grootste gezin?
2 Wie heeft de meeste zussen?
3 Wie heeft de meeste broers?

 7.2 Stel de docent vragen over het gezin waar hij uit komt en over zijn familie.

TAAK 4 Over een relatie praten

● ● ● Voorbereiden

1 Lees de vragen en de tekst. Beantwoord de vragen.

1 Wat is een vrijgezel, denk je?
   a een lieve jongen
   b iemand die geen relatie heeft
   c iemand die gezellig is
2 Hoe ziet de vrijgezel eruit?

_____

3 Wat zoekt hij?

_____

Vrijgezel
Ik woon in Schiedam
ik ben vrijgezel
Ik ben één meter negentig
Ik woon in Schiedam
Ik ben echt een lieve jongen
Ik zoek een lieve vrouw
Wie is ook lief en aardig?
Ik woon in Schiedam
Ik ben vrijgezel

2 Doe de opdrachten van Luisteren bij Voorbereiden op de computer.

3 Wat hoort bij elkaar? Vul de goede letter in.

1 samenwonen _____

2 een lat-relatie _____

3 alleenstaand _____

4 getrouwd _____

5 gescheiden _____

a   Je hebt geen vaste relatie en je woont alleen.
b   Jullie waren getrouwd, maar jullie zijn nu uit elkaar.
c   Jullie hebben een relatie met elkaar en jullie wonen in hetzelfde huis.
d   Jullie hebben een relatie, maar jullie wonen allebei in een eigen huis.
e   Jullie hebben een huwelijk gesloten op het gemeentehuis.

4   **Lees de teksten. Vul de tabel in.**

Welke woorden horen bij karakter? Welke woorden horen bij uiterlijk?
Welke woorden horen bij interesse? Zoek bij elk vijf woorden.

karakter (hoe je bent)	**uiterlijk** (hoe je eruit ziet)	**interesse** (wat je leuk vindt)

Leuke man in de aanbieding: eerlijk, open en sociaal. Vrije tijd: concerten, yoga, films
en weekendtrips. Houdt van: ontbijt op bed en van barbecue. Welke warme, sociale
en vooral mooie vrouw wil mij verwennen? f.desmedt@planet.nl

Verlegen Antilliaanse jongen zoekt gezellige vriendin om mee uit te gaan. Heb je zin om met mij het nachtleven van Amsterdam in te gaan? Houd je van dansen? Mail me! ryan@gmail.com

Jonge, lieve en slanke Russische vrouw met 1 kind wil graag een relatie met intelligente, eerlijke man. Ik ben spontaan, warm en trouw. Ik houd van uitgaan en heb een grote culturele belangstelling. valentina@gmail.com

Ik ben dus Alex. Waar ben jij? Ik ben op zoek naar een vrouw die net zo aantrekkelijk is als ik. Donker of blond maakt me niet uit. Ben je actief, houd je van het nachtleven, van uitgaan en wil je graag verwend worden? Dan ben je bij mij aan het juiste adres! alex@xs4all.nl

Ik ben een extraverte, vrolijke en moderne jonge vrouw. Ben net weer vrijgezel na tien jaar samenwonen. Ik houd van gezelligheid en zoek een soulmate. Je ziet er verzorgd uit, hebt humor, bent eerlijk en houdt van een goed gesprek. Mijn interesses: lekker eten, uitgaan en een weekendje weg. mollie@hetnet.nl

Lieve, sociale man zoekt aantrekkelijke vriend voor serieuze relatie. Huidskleur niet belangrijk. Geen cafétype. Gezellig samen thuis genieten. Films kijken, koken en muziek (jazz, soul en rock). marky@wxs.nl

5   **Welke dingen vind jij belangrijk in een relatie? Vul in.**

Gebruik woorden van opdracht 4.

karakter	uiterlijk	interesse

 6   **Doe de opdrachten van Woorden bij Voorbereiden op de computer.**

••• Uitvoeren

 7 Praat met elkaar over verschillende relatievormen. Wat hoort volgens jullie bij elkaar? Kruis aan.

	alleen wonen	lat-relatie	samenwonen	trouwen	scheiden
gezellig					
gelukkig					
zelfstandig					
verantwoordelijk					
eenzaam					
liefde					
vrijheid					

 8 Praat met elkaar over je ideale relatie. Je kunt onderstaande vragen gebruiken.

Wat vind je een goede relatievorm?
Hoe ziet jouw ideale partner eruit?
Wat voor karakter heeft hij of zij?
Welke dingen wil je graag samen doen?

9 Praat met elkaar over een goede vriend of vriendin, van nu of van vroeger. Je kunt de volgende vragen beantwoorden:

Hoe kwamen jullie met elkaar in contact?
Hebben jullie nog steeds contact?
Wat doen (deden) jullie graag samen?
Waarom is (was) deze vriend of vriendin belangrijk voor je?

••• Afronden

10 Kies een van de volgende schrijfopdrachten.

1 Schrijf een reactie op een van de teksten van opdracht 4.
2 Schrijf een contactadvertentie voor een vriend(in).
   Schrijf over zijn/haar uiterlijk, karakter, interesses.
   Schrijf wat voor persoon hij/zij zoekt en wat voor soort relatie.

Slot

Doe de test. Beantwoord de vragen. Wat is je score?

Weet jij wat echte liefde is?

Het is echte liefde als …

	ja	nee
mijn partner geen negatieve kanten heeft.	☐	☐
we alles samen doen.	☐	☐
we nooit ruzie hebben.	☐	☐
we over praktische dingen (koken, geld uitgeven) hetzelfde denken.	☐	☐
we dezelfde mensen aardig vinden.	☐	☐
we om dezelfde dingen lachen.	☐	☐
we dezelfde interesses hebben.	☐	☐
we dezelfde dingen mooi vinden.	☐	☐
we nooit aan onszelf denken.	☐	☐
je al het goede in het leven alleen voor je partner wilt.	☐	☐
je weet dat alleen die man of vrouw je gelukkig kan maken.	☐	☐
je weet dat zonder hem/haar niets meer lukt in het leven.	☐	☐
je leven kapot is als hij/zij een eind maakt aan de relatie.	☐	☐

Elk ja-antwoord is 1 punt.

Meer dan 10 punten:
Je wilt dag en nacht verliefd zijn. Je maakt een ideaalbeeld van je partner. Maar: je kunt beter niet alles van één persoon verwachten. Het is belangrijk ook een eigen leven te hebben.

6 - 10 punten:
Je bent snel verliefd. Maar je weet dat verliefdheid een ideaalbeeld van je partner geeft. En dat verliefdheid alleen geen (goede) basis voor liefde is.

Minder dan 6 punten:
Je hebt in deze test weinig punten gehaald, maar wel een goed resultaat. Liefde is je partner accepteren zoals hij/zij is, met positieve en negatieve kanten. Als twee mensen besluiten om samen verder te gaan, zijn ze soms samen perfect. En soms moeten ze dingen alleen doen. Dat is echte liefde!

Grammatica en spelling

Dit is de theorie bij Grammatica en spelling. De oefeningen staan op www.codeplus.nl, deel 2, hoofdstuk 4, Oefenen, Grammatica en spelling.

Taak 3

De hoofdzin en de bijzin. De bijzin staat voorop.   De zin

bijzin	*hoofdzin*
Sinds mijn opa dood is,	woont mijn oma bij mijn ouders.
Omdat Ankara ver weg is,	zien mijn ouders hun kleinkinderen niet zo vaak.

▸▸ De zin begint met de bijzin. In de bijzin staat de persoonsvorm (pv) aan het eind.
Dan komt de hoofdzin. De persoonsvorm (pv) van de hoofdzin komt direct na de bijzin.
Na de pv komt het subject (inversie).

Let op:

Mijn oma woont bij mijn ouders,	sinds mijn opa dood is (hoofdzin - bijzin).
Sinds mijn opa dood is,	woont mijn oma bij mijn ouders (bijzin - hoofdzin).

Lezen en schrijven

1 Lees de zinnen en de tekst. Zijn de zinnen waar of niet waar?

1 Jacky heeft een lat-relatie.
  a waar
  b niet waar

2 Jacky is een tevreden vrouw.
  a waar
  b niet waar

3 De oma van Winston is gescheiden.
  a waar
  b niet waar

Een kind, een huis, een auto en een baan

Jacky Neslo (35) woont met haar zoon Winston (7 jaar) in Lelystad. 'Zes jaar geleden ben ik gescheiden. Dat was een moeilijke tijd. Mijn vrienden gingen samenwonen of trouwen en kregen kinderen. Ik ging scheiden en zat alleen met een kind van één jaar. Hij gaat twee keer per maand in het weekend naar zijn vader. Winston is vaak bij mijn moeder. Als ik werk, is hij ook bij haar. Zij kent hem goed en dat vind ik fijn. Er is één probleem: Winston zit altijd tussen vrouwen. Als hij bij mijn moeder is, is mijn vader er niet. Die is dan naar zijn werk. En als mijn vader thuiskomt, is Winston weer weg. Ik heb na mijn scheiding wel een paar relaties gehad, maar dat vond Winston helemaal niet leuk. Hij is liever met mij alleen.

Winston en ik hebben het heel goed met z'n tweeën. Als hij een tijdje weg is, is het wel heel stil in huis. Soms zeggen mensen tegen me: "Goh, jij hebt het goed." En dat is ook zo: ik heb een kind, een huis, een auto en een baan.'

2   Lees de zinnen en de tekst. Welke zin hoort bij 1, 2 en 3?

1   Kies de goede zin bij [1].
    a   Onze kinderen speelden alleen met Marokkaanse kinderen.
    b   Onze kinderen speelden met kinderen uit verschillende culturen.

2   Kies de goede zin bij [2].
    a   We gaan alleen nog op vakantie naar Marokko.
    b   Als we oud zijn gaan we weer in Marokko wonen.

3   Kies de goede zin bij [3].
    a   Ze zorgt heel goed voor ons.
    b   Ze heeft veel Nederlandse vrienden.

Zorgen voor elkaar

Abdallah (56) kwam in 1984 naar Nederland. Tweeënhalf jaar later kwamen zijn vrouw en kinderen. Abdallah is getrouwd met Malika (50). Zij wonen in Almelo en zij hebben twee zonen (29, 32) en twee dochters (26, 30). Malika: 'De eerste periode in Nederland was moeilijk. Toen de kinderen Nederlands leerden, ging het beter. Ze kregen vriendjes en vriendinnetjes uit allerlei andere culturen. [1] Dat vonden we belangrijk.'

Abdallah: 'Onze kinderen waren actief. Onze jongste dochter deed veel in het buurthuis. Onze oudste zoon deed aan basketbal en onze jongste zoon zat tien jaar lang op voetbal.'

Malika: 'We willen niet meer terug naar Marokko. We hebben vier kleinkinderen hier. [2]'

Abdallah: 'Mijn oudste dochter en schoonzoon geven hun kinderen een Nederlandse opvoeding. Hun kinderen spreken Nederlands én Arabisch. Met mij praten de kinderen vaak Nederlands, met hun oma Arabisch. Onze oudste dochter komt elke dag langs en ze kookt vaak voor ons. [3] In onze cultuur moeten kinderen voor hun ouders zorgen als die oud zijn.'

3 Lees de tekst. Schrijf een tekst van ongeveer tien regels over je eigen opa en/of oma.

Mijn opa en oma

Ik was acht of negen jaar. We woonden in Rotterdam. Mijn opa en oma woonden vlak bij ons. Ik ging vaak naar ze toe. Ze woonden in een flat en ze hadden een grote kast met oude boeken en spelletjes. Ik keek erg graag in die kast. Met mijn oma deed ik vaak een spelletje. Met mijn opa ging ik fietsen. We fietsten meestal naar de haven en keken dan naar de grote boten. We aten daar ook altijd een visje. Mijn opa hield van varen.

HOOFDSTUK 5 Hoe gaat het met je studie?

Dit hoofdstuk gaat over onderwijs en opleiding.

Introductie	*92*	
Taak 1	Informatie vragen over opleidingen en cursussen	*93*
Taak 2	Vertellen over je onderwijsverleden en je plannen voor de toekomst	*98*
Taak 3	Praten over het rapport van een kind op de basisschool	*101*
Taak 4	Vertellen hoe het met je opleiding of cursus gaat	*105*
Slot	*111*	
Grammatica en spelling	*112*	
Lezen en schrijven	*114*	

Introductie

1 Doe de opdrachten bij Introductie op de computer.

2 Welke van de onderstaande woorden horen bij onderwijs? Kruis aan. Gebruik zo nodig een woordenboek.

☐ de opleiding
☐ de grond
☐ het diploma
☐ het vak
☐ studeren
☐ beschrijven
☐ de studie
☐ het ideaalbeeld

TAAK 1 Informatie vragen over opleidingen en cursussen

● ● ● Voorbereiden

1 Wat hoort bij elkaar? Vul de goede letter in.

1 De leraar …
2 De kok …
3 De maatschappelijk werker …
4 De verpleegkundige …

a helpt mensen met problemen. De opleiding duurt vier jaar.
b helpt zieke mensen. De opleiding duurt vier jaar.
c kookt eten. De opleiding duurt twee à drie jaar.
d geeft les. De opleiding duurt vier jaar.

1 ___

2 ___

3 ___

4 ___

2 Kijk naar het schema. Lees de vragen en de tekst. Beantwoord de vragen.

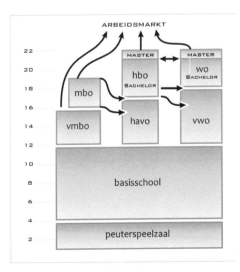

vmbo   voorbereidend middelbaar beroepsonderwijs
havo   hoger algemeen voortgezet onderwijs
vwo   voorbereidend wetenschappelijk onderwijs

mbo   middelbaar beroepsonderwijs
hbo   hoger beroepsonderwijs
wo   wetenschappelijk onderwijs (de universiteit)

1   Welke vooropleiding duurt het langst?
    a   vmbo
    b   havo
    c   vwo

2   Filiz komt van de basisschool. Ze kan heel goed leren en ze wil later
    graag naar de universiteit. Welke vooropleiding kiest ze?
    a   vmbo
    b   havo
    c   vwo

3   Pieter wil kapper worden. Dat is een mbo-opleiding. Welk diploma
    heeft hij daarvoor nodig?
    a   een vwo-diploma
    b   een havodiploma
    c   een vmbo-diploma

4   Sasha wil naar de universiteit. Welk diploma heeft hij daarvoor nodig?
    a   een havodiploma
    b   een vmbo-diploma
    c   een vwo-diploma

5   Sasha heeft zijn havodiploma gehaald. Hoe kan hij naar de
    universiteit?
    a   via het mbo
    b   via het hbo

6   Liza heeft de havo gedaan. Zij wil kinderverpleegkundige worden.
    Wanneer kan zij die richting kiezen?
    a   nu
    b   tijdens de opleiding
    c   na de opleiding

Het Nederlandse onderwijs

In Nederland gaan kinderen naar de basisschool als ze vier jaar oud zijn. De basisschool duurt acht jaar. Na de basisschool gaan ze naar de middelbare school. De opleiding op de middelbare school noemen we ook wel de vooropleiding. Er zijn drie richtingen: vmbo, havo en vwo. Het vmbo is de laagste en meest praktische opleiding. De havo is een hogere opleiding maar minder praktisch. Het vwo is de hoogste opleiding en het meest theoretisch.

Het vmbo duurt vier jaar, de havo duurt vijf jaar en het vwo zes jaar. Na de middelbare school kun je een opleiding voor een beroep kiezen. Er zijn weer drie richtingen: mbo, hbo en universiteit (wetenschappelijk onderwijs). De duur van de opleidingen na de middelbare school is heel verschillend.

Als je bakker wilt worden, ga je naar het mbo. Je vooropleiding moet ten minste vmbo zijn.

Als je leraar wilt worden, ga je naar het hbo. Daarvoor moet je vooropleiding ten minste havo zijn. Als je arts wilt worden, ga je naar de universiteit. Je vooropleiding moet ten minste vwo zijn. Wil je je beroepskeuze veranderen, dan kun je ook nog via het hbo naar de universiteit.

Voorbeelden van andere beroepen zijn: architect, maatschappelijk werker, kok, elektrotechnicus, kapper, verpleegkundige.

De opleiding verpleegkunde kun je op mbo-niveau doen, maar ook op hbo-niveau. Ook veel andere opleidingen kun je op verschillende niveaus doen.

Tijdens de opleiding kun je een speciale richting kiezen. Soms kun je ná de opleiding een speciale richting kiezen. Verpleegkundigen kunnen na hun opleiding bijvoorbeeld de richting kinderverpleegkunde kiezen. Ze krijgen dan nog een extra opleiding.

3 Lees de vragen en de tekst. Beantwoord de vragen.

1 Justin is 21 jaar. Hij spreekt geen Nederlands. Waar kan hij een cursus Nederlands doen?
   a op een middelbare school
   b bij het ROC

2 Alexandra wil fysiotherapeut worden. Waar kan zij deze hbo-opleiding doen?
   a bij een ROC
   b op een universiteit

Het ROC (Regionaal Opleidingen Centrum)

Er zijn in Nederland op heel veel plaatsen ROC's waar je een opleiding of cursus kunt doen. De meeste ROC's zijn voor jongeren vanaf zestien jaar en voor volwassenen. Bij veel ROC's kun je een middelbareschooldiploma halen, bijvoorbeeld in de avonduren, of een mbo-opleiding doen. Er zijn ook ROC's met hbo-opleidingen. Op een ROC kun je niet alleen een opleiding volgen, maar een ROC biedt ook veel verschillende cursussen aan. Het ROC biedt bijvoorbeeld cursussen Nederlands (NT2) aan voor mensen die Nederlands willen leren. Het onderwijsprogramma is bij elk ROC een beetje anders, maar er zijn bijna altijd cursussen NT2.

 4 Doe de opdrachten van Luisteren bij Voorbereiden op de computer.

 5 Doe de opdrachten van Woorden bij Voorbereiden op de computer.

• • • Uitvoeren

 6.1 Voer het gesprek.

Cursist A vraagt informatie over twee opleidingen. Cursist B geeft informatie. Cursist A begint de dialoog.

6.2   Voer het gesprek.

Cursist B vraagt informatie over twee opleidingen. Cursist A geeft informatie. Cursist B begint de dialoog.

 7.1   Voer het gesprek.

Draai jullie stoelen om. Jullie zien elkaar niet. Cursist A belt naar het ROC. Hij vraagt informatie over de computercursus. Cursist B geeft informatie. Cursist B begint de dialoog met: 'Goedemorgen, met het ROC.'

 7.2   Voer het gesprek.

Draai jullie stoelen om. Jullie zien elkaar niet. Cursist B belt naar het ROC. Hij vraagt informatie over de cursus Spaans. Cursist A geeft informatie. Cursist A begint de dialoog met: 'Goedemorgen, met het ROC.'

● ● ● Afronden

 8.1   Zoek informatie over een cursus.

Welke cursus zou je graag willen volgen? Waar zou je die cursus kunnen volgen? Zoek informatie in de bibliotheek of op internet. Kijk bijvoorbeeld op www.roc.nl. Schrijf de informatie op en neem die mee naar de les.

 8.2   Bespreek samen de resultaten van opdracht 8.1.

TAAK 2 Vertellen over je onderwijsverleden en je plannen voor de toekomst

● ● ● Voorbereiden

1 **Wat hoort bij elkaar? Vul de goede letter in.**

Gebruik het schema bij opdracht 2 in taak 1.

1 Ik heb de havo niet afgemaakt. Ik heb een paar jaar gewerkt en kreeg toen twee kinderen. Die zitten nu op de basisschool. Ik ga terug naar de middelbare school.

2 Ik wist vijf jaar geleden al wat ik wilde: verpleegkundige worden. Ik heb nu mijn vmbo-diploma.

3 Na de basisschool heb ik het vwo gedaan. Ik heb in juni mijn diploma gehaald. Na de zomer ga ik naar de universiteit.

4 Als kind wilde ik naar de universiteit, maar dat lijkt me nu erg theoretisch.

a Ik ga een hbo-opleiding doen. Dat is praktischer dan een opleiding aan de universiteit.
b Ik ga geneeskunde studeren. Ik wil arts worden.
c Ik wil de havo afmaken en dan misschien een hbo-opleiding doen.
d Ik ga de mbo-opleiding verpleegkunde doen. Ik wil graag zieke mensen helpen.

1 ____

2 ____

3 ____

4 ____

 2 **Doe de opdrachten van Luisteren bij Voorbereiden op de computer.**

3 Lees de vragen en de tekst. Beantwoord de vragen.

1 Welke opleiding heeft Mustapha in Irak gedaan?

_____

2 Welke opleiding heeft hij in Nederland gedaan?

_____

3 Wat wil hij gaan doen?

_____

Mustapha uit Irak vertelt over zijn studie in Nederland

In Irak heb ik algemene biologie aan de universiteit gestudeerd. In augustus 1997 ben ik naar Nederland gekomen. Ik moest hier helemaal opnieuw beginnen, omdat mijn diploma van de universiteit hier niet geldig was. Ik wilde biologie studeren aan de universiteit van Groningen, maar dat was te ver reizen voor mij. Ik kon wel biologie doen op de Noordelijke Hogeschool Leeuwarden, dat was dichterbij. De opleiding was wel heel anders dan in Irak. Het hbo is veel praktischer dan de universiteit. Ik ben in juli afgestudeerd. Het diploma is een belangrijke stap, maar nu moet ik nog een baan vinden.

4 Doe de opdrachten van Woorden bij Voorbereiden op de computer.

Uitvoeren

5.1 Welke opleiding heeft Suleyman gedaan? Wat gaat hij doen?

Cursist B stelt de vragen van het werkblad aan cursist A. Cursist A zoekt de antwoorden op. Cursist B schrijft de antwoorden op.

Controleer samen de antwoorden.

5.2 Welke opleiding heeft Aziz gedaan? Wat gaat hij doen?

Cursist A stelt vragen van het werkblad aan cursist B. Cursist B zoekt de antwoorden op. Cursist A schrijft de antwoorden op.

Controleer samen de antwoorden.

6 Vertel over je school en je opleiding.

Cursist A vertelt over zijn school en zijn opleiding. Hij vertelt over wat hij heeft gedaan en wat hij wil gaan doen. Cursist B en C stellen vragen.

Wissel twee keer van rol. Elke cursist vertelt een keer over zijn school en zijn opleiding.

••• Afronden

7 Schrijf over je school en je opleiding.

Schrijf op wat je hebt verteld bij opdracht 6. Geef je tekst aan de docent.

TAAK 3 Praten over het rapport van een kind op de basisschool

● ● ● **Voorbereiden**

1 Lees de tekst.

Ik ben Kiki.
Ik ben zeven jaar.
Ik zit in groep vier, bij meester Peter.
De kinderen aan mijn tafel zijn: Victor, Elif en Anna.
Ik houd van lezen en koekjes bakken.
Ik vind tekenen en gym ook leuk.
Rekenen vind ik moeilijk.
Wat ik vervelend vind? Ruzie en dingen die ik niet snap.

2   Lees de vragen en de tekst. Beantwoord de vragen.

Dit is het eerste rapport van Kiki in groep vier.

1   Moeten de ouders van Kiki een afspraak maken met haar meester voor een gesprek?

_____

2   Wat is Kiki's beste vak?

_____

3   Wat is Kiki's slechtste vak?

_____

Beste ouders,
Dit is het rapport van uw kind. U krijgt twee rapporten per jaar.
Wij beoordelen de prestaties voor de verschillende vakken in woorden:

goed
voldoende
onvoldoende

Volgende week kunt u met de docent van uw kind praten over het rapport. U krijgt een uitnodiging voor een gesprek.

Het team van
basisschool Prinses Máxima

RAPPORT VAN: Kiki

Taal
- lezen   voldoende
- spreken   voldoende
- schrijven   voldoende
Rekenen   onvoldoende
Muziek   voldoende
Tekenen   goed
Gymnastiek   voldoende

Algemeen
- werktempo   soms onvoldoende
- zelfstandig werken   goed
- samenwerken   goed

3   Doe de opdrachten van Luisteren bij Voorbereiden op de computer.

 4   Doe de opdrachten van Woorden bij Voorbereiden op de computer.

••• Uitvoeren

 5.1   Voer het gesprek.

De vader van Victor
heeft een gesprek met
de meester van Victor.
Cursist A is de meester
van Victor. Cursist B is
de vader van Victor. De
meester begint het
gesprek.

RAPPORT VAN: Victor

Taal
- lezen   goed
- spreken   goed
- schrijven   goed
Rekenen   goed
Muziek   goed
Tekenen   goed
Gymnastiek   voldoende

Algemeen
- werktempo   goed
- zelfstandig werken   goed
- samenwerken   onvoldoende

 5.2   Voer het gesprek.

De moeder van Anna
heeft een gesprek met
de meester van Anna.
Cursist B is de meester
van Anna. Cursist A is
de moeder van Anna.
De meester begint het
gesprek.

RAPPORT VAN: Anna

Taal
- lezen   onvoldoende
- spreken   voldoende
- schrijven   voldoende
Rekenen   goed
Muziek   voldoende
Tekenen   goed
Gymnastiek   goed

Algemeen
- werktempo   goed
- zelfstandig werken   soms onvoldoende
- samenwerken   voldoende

• • • Afronden

 6 Doe de opdracht van Luisteren bij Afronden op de computer.

Je hoort hoe het gesprek van opdracht 5.1 kan gaan. Daarna kun je opdracht 5.1 herhalen.

TAAK 4 Vertellen hoe het met je opleiding of cursus gaat

● ● ● Voorbereiden

1 Welke zinnen zeg jij wel eens? Kruis aan.

- ☐ Luisteren vind ik het moeilijkst.
- ☐ Moeten we alweer samenwerken?
- ☐ Ik werk het liefst zelfstandig.
- ☐ Het tempo van de cursus is te hoog.
- ☐ Ik ben zo moe. Ik heb zo hard gestudeerd.
- ☐ Kunt u me helpen met mijn Nederlands?
- ☐ Spreek alstublieft Nederlands met mij. Ik wil oefenen.

2 Lees de vragen en de tekst. Beantwoord de vragen.

1 Hoe waren de prestaties van Jelena?
   a Ze kon goed lezen, schrijven, spreken en luisteren.
   b Ze kon wel goed lezen en schrijven, maar niet goed spreken en luisteren.
   c Ze kon wel goed lezen, schrijven en luisteren, maar niet goed spreken.

2 Wat kun je na de les doen om de taal te leren, volgens Sembo en Shakila?
   a Niets, je kunt niet echt leren praten met mensen.
   b Studeren, luisteren naar radio en tv, praten met Nederlanders.
   c Studeren, luisteren naar radio en tv, lezen over de cultuur.

3 Waarom vindt Ibrahim vragen stellen belangrijk?
   a Het kost niets.
   b Je leert hoe je moet studeren.
   c Je leert goed Nederlands praten.

Afgestudeerde studenten vertellen over hun cursus of studie

Jelena over haar cursus Nederlands
Het ging goed met mijn Nederlands, alleen had ik niet genoeg spreekervaring. Ik kon prima lezen en schrijven. Ik had ook helemaal geen problemen met luisteren, maar ik kon de woorden niet goed uitspreken. Als ik in een winkel Nederlands probeerde te praten, begrepen de mensen me vaak niet.

Sembo over zijn cursus Nederlands
Hoe je het beste de taal kunt leren? Hard studeren. Soms studeerde ik twaalf of dertien uur per dag. Ik luisterde naar tv- en radioprogramma's.

Shakila over haar cursus Nederlands
Nederlands is een moeilijke taal. Je leert in de les niet echt praten met mensen. Contact met Nederlanders is erg belangrijk. Dan leer je niet alleen de taal, maar ook hoe de cultuur is.

Ibrahim over zijn studie
Wat mij heeft geholpen tijdens de studie? Vragen stellen aan docenten en studenten, dan leer je hoe je je studie moet aanpakken. Nederlanders zeggen: vragen kost niets.

 3 **Doe de opdrachten van Luisteren bij Voorbereiden op de computer.**

 4 **Doe de opdrachten van Woorden bij Voorbereiden op de computer.**

● ● ● Uitvoeren

5 **Wat vind je van de cursus? Beantwoord de vragen.**

De vragen gaan over de cursus die je nu doet. Je kunt soms meer dan één antwoord kiezen.

1 Wat vind je van deze cursus of opleiding?
   a goed, ik ben tevreden
   b voldoende
   c slecht, ik ben niet tevreden

2 Wat vind je van de methode CODE Plus?

_____

3 Wat wil je graag anders in de les?
   a meer spreken
   b meer luisteren

    c   meer lezen
    d   meer schrijven
    e   meer samenwerken
    f   minder samenwerken
    g   meer hulp van de docent
    h   minder hulp van de docent, dus zelfstandiger werken
    i   meer huiswerkcontrole
    j   geen huiswerkcontrole
    k   meer werken op de computer
    l   _____

4 Wat vind je moeilijk?
    a   spreken
    b   luisteren
    c   lezen
    d   schrijven
    e   grammatica
    f   uitspraak
    g   spelling
    h   vragen stellen aan de docent
    i   _____

5 Hoe zijn je prestaties?
    a   goed
    b   voldoende
    c   onvoldoende

6 Hoeveel uur per dag studeer je?

7 Kijk je naar de Nederlandse televisie en/of luister je naar de radio?
    a   ja, vaak
    b   ja, soms
    c   nee, nooit

8 Heb je contact met Nederlanders?
    a   ja, vaak
    b   ja, soms
    c   nee, nooit

9 Vraag je hulp aan andere mensen (in de les en/of na de les)?
    a   ja, vaak
    b   ja, soms
    c   nee, nooit

10 Hoe is je motivatie voor het leren van Nederlands?
   a goed
   b voldoende
   c onvoldoende

11 Hoe is je werktempo?
   a goed
   b voldoende
   c onvoldoende

 6 **Vertel hoe het met je cursus of opleiding gaat.**

Cursist A vertelt cursist B hoe het met zijn cursus of opleiding gaat.
Cursist B stelt vragen. Gebruik de vragen van opdracht 5.

Cursist B vraagt aan cursist A:
■ hoe hij de cursus of opleiding vindt (vraag 1, 2, 3);
■ wat hij moeilijk vindt (vraag 4);
■ hoe zijn prestaties zijn (vraag 5);
■ hoeveel hij studeert (vraag 6);
■ wat hij na de les doet om de taal te leren (vraag 7, 8);
■ of hij studieproblemen heeft (vraag 9, 10, 11).

Wissel van rol.

● ● ● Afronden

7 **Schrijf een brief aan een Nederlandse vriend.**

Vertel je vriend wat voor cursus je doet en hoe het met de cursus gaat.
Vertel hem:
■ hoelang de cursus duurt;
■ hoeveel dagen per week je les hebt;
■ hoelang de lessen duren;
■ hoeveel huiswerk je moet maken;
■ wat je moeilijk vindt;
■ wat je leuk vindt;
■ wat je van je docent vindt;
■ wat je na de les doet om de taal te leren.
Vraag ook hoe het met je vriend gaat.

Geef je brief aan de docent.

Cultuur

Docenten, leerlingen en studenten

Docenten in Nederland staan dicht bij hun leerlingen of studenten, de relatie tussen docent en leerling of student is niet zo formeel.

Leerlingen en studenten hoeven niet alleen maar te luisteren naar hun docenten. Docenten willen graag dat ze vragen stellen, actief en zelfstandig zijn. Het ideaal is: de docent is de begeleider die niet boven, maar naast zijn leerlingen of studenten staat.

Docenten hoeven niet alles te weten; soms weten ze het antwoord op een vraag niet. Zij kunnen dat ook gewoon zeggen. Meestal zoeken ze dan thuis het antwoord op en vertellen dat dan de volgende les aan de leerlingen.

Docenten dragen meestal informele kleding.

Kinderen op de basisschool mogen hun docenten bij de voornaam noemen of ze zeggen meester en juffrouw, bijvoorbeeld juffrouw Anna. Na de basisschool zeggen ze meneer en mevrouw tegen docenten, bijvoorbeeld meneer Smit. Soms vinden docenten het prettig als leerlingen of studenten hen bij de voornaam noemen.

Kinderen leren al jong hun mening te geven. Leerlingen en studenten hebben vaak een duidelijke mening over hun docenten en ze zijn kritisch over het onderwijs.

Beschrijf een docent uit je eigen land en beschrijf je relatie met hem of haar.

Gebruik onderstaande vragen.

Hoe zag hij/zij eruit? (kleding, haar)

_____

Hoe noemde je hem/haar? Zei je 'u' of 'je'?

_____

Stelde je in de les vragen aan je docent?

_____

Maakte je docent wel eens een fout? Ja? Zei je dat dan?

_____

Wist je docent het antwoord op alle vragen?

_____

Kreeg je soms meer dan één antwoord op een vraag?

_____

Praatte je na de les wel eens met de docent? Ja? Waarover?

_____

Vergelijk je antwoorden met twee medecursisten.

Beschrijf de docent van deze cursus en beschrijf jullie relatie. Gebruik onderstaande vragen.

Hoe ziet hij/zij eruit? (kleding, haar)

_____

Zeg je 'u' of 'je'?

_____

Zeg je meneer, mevrouw of gebruik je de voornaam van de docent?

_____

Stellen jullie in de les vragen aan je docent?

_____

Maakt jullie docent wel eens een fout? Ja? Zeggen jullie dat dan?

_____

Weet jullie docent het antwoord op alle vragen?

_____

Krijgen jullie soms meer dan één antwoord op een vraag?

_____

Praten jullie na de les wel eens met de docent? Ja? Waarover?

_____

Bespreek samen de antwoorden.

Slot

 1 Vertel over je basisschool.

Cursist A vertelt over zijn basisschool. Cursist B stelt de vragen. Gebruik onderstaande vragen.

Op welke leeftijd ging je naar de basisschool?
Hoeveel dagen per week ging je naar school?
Hoe laat begon de school 's morgens en hoe laat was je klaar?
Hoeveel jaar duurde de basisschool?
Welke vakken had je?
Kreeg je huiswerk?
Hoe waren je prestaties?
Had je vriendjes en vriendinnetjes?

Wissel van rol.

 2.1 Stel vragen aan een Nederlander over zijn/haar opleiding.

Stel onderstaande vragen. Schrijf de antwoorden op.

Waar ging je naar de basisschool?

_____

Hoe laat begon de school 's morgens en hoe laat was je klaar?

_____

Hoeveel jaar duurde de basisschool?

_____

Wat is je beroep? Of: Wat wil je worden?

_____

Welke opleiding heb je daarvoor nodig?

_____

Hoelang duurt die opleiding?

_____

Wat is je vooropleiding?

_____

 2.2 Vertel elkaar met wie je gesproken hebt. Bespreek de antwoorden.

Grammatica en spelling

Dit is de theorie bij Grammatica en spelling. De oefeningen staan op www.codeplus.nl, deel 2, hoofdstuk 5, Oefenen, Grammatica en spelling.

Taak 2

Het futurum. Gebruik van het presens voor het futurum.   Het verbum

- Waar   ben je nu?
- Ik   ben in de stad.

- Wat   doe je morgen?
- Dat   weet ik nog niet.

- Waar   ben je volgende week?
- Dan   ben ik thuis.

- Wat   ga je morgen doen?
- Morgen ga ik studeren.

- Waarom ga je geen biologie studeren?
- Ik   ga liever geneeskunde studeren.

▶▶ We gebruiken het presens ook voor de toekomst (morgen, volgende week enzovoort).
▶▶ We gebruiken het verbum gaan + infinitief ook voor de toekomst.

Taak 3

Scheidbare werkwoorden in de hoofdzin   Het verbum

meegeven
Ik	kan	Kiki wat huiswerk	meegeven.
Ik	geef	Kiki wat huiswerk	mee.
Ik	gaf	Kiki wat huiswerk	mee.
Ik	heb	Kiki wat huiswerk	meegegeven.

▶▶ Het scheidbare werkwoord heeft twee delen: een prefix en een werkwoord: mee-geven, samen-werken, binnen-komen.

▶▶ In het presens en imperfectum staat het prefix aan het eind van de zin.
| Ik | geef | Kiki huiswerk | mee. |
| Ik | gaf | Kiki huiswerk | mee. |

▶▶ In het perfectum zet je ge- <u>tussen</u> het prefix en de rest van het werkwoord.

Ik   heb   Kiki huiswerk   mee-ge-geven.
Kiki heeft met Victor   samen-ge-werkt.

▶▶ Uitspraak: het accent ligt bij scheidbare werkwoorden op de eerste lettergreep.
meegeven
samenwerken
binnenkomen

De imperatief

Het verbum

Bak de koekjes in een warme oven.
Kom (maar) binnen.
Ga (maar) zitten.
Geef mij maar een biertje.

Kom, ga, bak en geef zijn imperatiefvormen. Je kunt de imperatief gebruiken als je bijvoorbeeld instructies wilt geven of een verzoek wilt doen. Je gebruikt vaak woordjes als maar en even om het verzoek vriendelijk te maken.

Ga <u>maar even</u> zitten.
Doe je jas <u>maar</u> uit.

▶▶ De imperatief is de ik-vorm van het werkwoord.
Ik bak   → bak
Ik kom   → kom

Lezen en schrijven

 1   Lees de vragen en de tekst. Beantwoord de vragen.

1   Vroeger bleven de meeste studenten bij hun ouders wonen.
   a   waar
   b   niet waar

2   'Hotel Mama' betekent: de student woont bij zijn (haar) ouders en mag doen wat hij (zij) wil.
   a   waar
   b   niet waar

3 Ralph doet een hbo-opleiding.
   a waar
   b niet waar

4 Ralph zegt: 'Ik hoef het huis niet uit, ik kan gaan en staan waar ik wil.'
   Dit betekent: 'Ik hoef niet uit te gaan, want ik heb thuis alles.'
   a waar
   b niet waar

5 Erik reist met het openbaar vervoer naar de universiteit in Leiden.
   a waar
   b niet waar

6 Cindy heeft het druk thuis, omdat ze haar moeder moet helpen.
   a waar
   b niet waar

7 Erik en Cindy kunnen minder thuis studeren dan Ralph.
   a waar
   b niet waar

8 Als Cindy uitgaat, gaat ze 's nachts weer terug naar haar ouders.
   a waar
   b niet waar

Hotel Mama

Toen ik achttien was, woonde ik op kamers in Groningen. Dat was toen heel gewoon, de meeste studenten woonden op kamers. Nu woont net iets meer dan de helft van alle jongens en meisjes van achttien jaar op kamers.
De andere helft blijft langer thuis wonen, dit heet het 'Hotel Mama-effect'. Vroeger moest je wel op kamers gaan wonen, want thuis mocht je niets en kon je niets. Dat is nu wel anders.

Ralph (21) studeert Journalistiek aan de Hogeschool Utrecht. Hij woont in Houten bij zijn ouders. Dat is tien minuten reizen met de trein. Ralph zegt: 'Ik hoef het huis niet uit, ik kan gaan en staan waar ik wil.' Hij heeft een vriendinnetje en zij kan altijd blijven slapen. Dat vinden zijn ouders geen probleem. Erik (20) studeert Rechten aan de universiteit in Leiden. Hij woont ook nog bij zijn ouders in Hillegom. Hij is een half uurtje onderweg naar Leiden. De bus stopt in Leiden vlak bij de universiteit en in Hillegom bijna voor de deur van zijn huis. Hij gaat in het weekend uit in Leiden en neemt dan de laatste bus terug naar huis. Hij mag zo laat thuiskomen als hij wil. Cindy (19) woont in Schiedam en studeert geneeskunde in Rotterdam. Zij woont met haar ouders en oudere broer in een prachtig huis. 'Ik heb de mooiste kamer van het hele huis,' zegt Cindy.

Cindy, Erik en Ralph hoeven thuis niet veel te doen. Cindy: 'Mijn moeder doet bijna alles. En ze werkt zelf ook als lerares op een middelbare school.' Cindy geeft alleen de poes te eten en ze ruimt haar eigen kamer op. Ralph: 'Mijn moeder doet alles. En er staat altijd een kopje thee klaar als ik thuiskom. Dat is wel heel gemakkelijk, hè?' Wat ook gemakkelijk is: Hotel Mama is gratis, op kamers wonen niet. 'Thuis wonen is goedkoop,' zegt Erik en dat vinden de anderen ook. Hun ouders vinden het gezellig dat ze nog thuis wonen, maar ze vinden hen niet te jong om op kamers te gaan.

Erik en Cindy studeren veel thuis. Ze hoeven niet elke dag naar college. Ze kunnen hun docent wel vragen stellen per e-mail. Cindy moet twaalf uur per week op de universiteit zijn en heeft 24 uur zelfstudie. Erik heeft een semestersysteem: vier maanden college en dan twee maanden geen college. Alleen Ralph zit bijna elke dag op de Hogeschool.

Willen Cindy, Erik en Ralph in de toekomst op kamers wonen?
Cindy: 'Ik heb nieuwe vrienden gekregen en die wonen bijna allemaal op kamers. Als ik uitga, blijf ik bij een van hen slapen. Dat kan ik niet blijven doen. En er zijn heel gezellige studentenhuizen met mooie grote kamers. Dat wil ik ook wel.'
Ook Erik en Ralph willen in de toekomst op kamers gaan wonen, maar ze weten nog niet precies wanneer.

 2 Kies een situatie. Schrijf een brief aan de directeur van de school.

Situatie 1
Je zoontje Yusuf zit op de basisschool in groep vier. De directeur heet meneer Pietersen. Vraag een dag vrij voor Yusuf.

Schrijf meneer Pietersen:
- waarom je een vrije dag vraagt voor Yusuf (suikerfeest of bruiloft bijvoorbeeld);
- op welke datum je een vrije dag wilt voor Yusuf.

Situatie 2
Je zit in groep 3B van de Nederlandse cursus. Je zus gaat trouwen. De directeur van de school heet mevrouw Harmsen. Vraag een dag vrij voor het huwelijk van je zus.

Schrijf mevrouw Harmsen:
- waarom je een vrije dag wilt;
- op welke datum je een vrije dag wilt.

HOOFDSTUK 6 Naar het museum

Dit hoofdstuk gaat over kunst en cultuur.

Introductie   118
Taak 1   Een culturele activiteit kiezen en je keuze toelichten   119
Taak 2   Vertellen over een culturele activiteit die je hebt gedaan   124
Taak 3   Gedichtjes en spreekwoorden lezen   128
Taak 4   Een bijzonder huis of gebouw beschrijven   132
Slot   135
Grammatica en spelling   140
Lezen en schrijven   141

Introductie

 Doe de opdrachten bij Introductie op de computer.

TAAK 1 Een culturele activiteit kiezen en je keuze toelichten

● ● ● Voorbereiden

1 **Waar denk je aan bij onderstaande woorden?**

Bijvoorbeeld:

theater   *shakespeare, uitgaan, mooie kleren, interessant*

theater   _____

dans   _____

concert   _____

museum   _____

literatuur _____

architectuur _____

film   _____

2 **Lees de vragen en de tekst. Beantwoord de vragen.**

1 Welke activiteit hoort bij welke soort kunst? Kruis aan. Let op: bij sommige activiteiten kun je meer dan één kruisje zetten.

activiteit	theater	dans	muziek	film	architectuur
1			X		
2					
3					
4					
5					
6					
7					

2 Je hebt twee kinderen en je wilt naar de culturele zondag toe. Welke activiteit is speciaal voor kinderen?

Nummer ____

3 Voor welke activiteit moet je reserveren?

Nummer ____

4 Op welk adres kun je de film over countrymuziek zien?

_____

5 Je wilt een workshop rappen volgen. Hoeveel kost dat?

_____

6 Je hebt zondag overdag geen tijd om de stad in te gaan. 's Avonds kun je wel. Wat is er dan te doen?

_____

Een culturele zondag

Op de eerste zondag in januari heeft Utrecht een nieuwjaarsprogramma met theater, dans, muziek, film en architectuur. Je kunt naar bijzondere, vaak gratis activiteiten. Kies je eigen programma!

1 Vredenburg Leidsche Rijn, J.C. Verthorenpad 100

11.00 uur: twee jazzconcerten, Trijntje Oosterhuis met Nieuw Sinfonietta Amsterdam en The Houdini's.
Toegang: € 22,50.
Trijntje Oosterhuis zingt onder andere songs van Billie Holiday, met het orkest van Nieuw Sinfonietta. Daarna kunt u luisteren naar The Houdini's, die al zo'n vijfentwintig jaar prachtige jazzmuziek maken.

2 Aboriginal Art museum, Oudegracht 176

11.15 uur en 14.00 uur: film Buried Country.
12.45 uur en 15.30 uur: film Yothu Yindi, One Blood.
Toegang: € 8.
Maak kennis met de oude cultuur van de aboriginals uit Australië. Er zijn vandaag twee bijzondere films. In Buried Country maken aboriginals countrymuziek. De film Yothu Yindi, One Blood gaat over een van de bekendste bands in Australië.

3 Stadsschouwburg, Lucasbolwerk 24

13.00 uur: Kikker door Theater Terra (4+).
Toegang: € 17,50.
Theater Terra, al meer dan dertig jaar een grote naam in het kindertheater, speelt het stuk Kikker. Kikker en zijn vriendjes zijn bekend uit de boeken van Max Velthuijs.

4 Utrechts Centrum voor de Kunsten, Domplein 4-5

13.30 uur - 14.00 uur: pianoconcert.

14.00 uur - 15.15 uur: twee workshops.

Toegang is gratis.

Na het concert kun je meedoen aan twee workshops: dansen en rappen.

5 Stadswandeling, Achter de Dom 14

14.00 uur (vertrek): wandeling langs moderne architectuur in de stad.

Toegang is gratis. Wel reserveren!

Je wandelt langs belangrijke gebouwen in het centrum van de stad.

6 Winkel van Sinkel, Oudegracht 158

15.00 uur - 24.00 uur: muziek en dans uit Latijns-Amerika.

Toegang tot 18.00 uur gratis. Dansavond € 7,50.

Nog nooit gedanst in een winkel? Vandaag kun je tango, samba en salsa dansen in de oudste winkel van Utrecht. Cuarto del Sur geeft om 15.00 uur een Latijns-Amerikaans concert. Om 17.30 uur is er een dansles en om 18.00 uur begint de dansavond met de dj's Juan en Alex.

7 't Hoogt, Hoogt 4

16.00 uur: film Blood and sand, Fred Niblo (VS 1922).

Toegang: € 5.

In de film Blood and sand kan Rudolph Valentino maar niet kiezen tussen twee vrouwen. Met livemuziek van Wim van Tuyl en Pien Straesser.

 3 Doe de opdrachten van Luisteren bij Voorbereiden op de computer.

 4 Doe de opdrachten van Woorden bij Voorbereiden op de computer.

 Routines

Een voorkeur uitspreken	Iets afkeuren
Die stadswandeling lijkt me wel interessant.	Die film lijkt me niet leuk.
Die workshop rappen lijkt me het leukst.	
Ik wil (ook) wel naar dat concert.	Ik wil (echt) niet naar die dansles.
Ik wil in ieder geval naar die film.	Ik wil zeker niet naar dat concert.
Die dansles, dat is echt iets voor mij.	Die dansles, dat is (echt) niets voor mij.
Die film moet ik echt zien!	Die film hoef ik (echt) niet te zien.

5 Doe de opdrachten van Routines bij Voorbereiden op de computer.

● ● ● Uitvoeren

6.1 Wat vind je leuk en wat vind je niet leuk? Vul in.

Kies twee activiteiten uit opdracht 2 die je leuk vindt. Kies ook twee activiteiten die je niet leuk vindt. Vul de activiteiten en de nummers in.

Bijvoorbeeld:
Ik wil graag naar:

Dansles, bij nummer 6.

Ik wil graag naar:
_____, bij nummer ____
_____, bij nummer ____

Ik wil niet naar:
_____, bij nummer ____
_____, bij nummer ____

 6.2 Wat heb je gekozen? Waarom?

Cursist A vertelt:
- welke vier activiteiten hij heeft gekozen;
- waarom hij die activiteiten heeft gekozen.

Voorbeeld:
- Ik wil graag naar die workshop rappen, want dat heb ik nog nooit gedaan.
- Ik hoef niet naar het concert van Trijntje Oosterhuis, want ik houd helemaal niet van jazz.

Wissel van rol.

• • • Afronden

 7.1 **Zoek op internet of in de krant naar culturele activiteiten.**

Naar welke culturele activiteiten kun je in of vlak bij jouw woonplaats? Zoek informatie en kies een of twee activiteiten die voor jou interessant zijn. Neem de informatie mee naar de les.

 7.2 **Vergelijk de activiteiten die jullie hebben gekozen.**

Vertel elkaar over de activiteiten die je hebt gekozen bij opdracht 7.1. Vertel ook waarom je die gekozen hebt. Overleg. Kies één activiteit uit waar jullie met elkaar naartoe gaan.

 7.3 **Bespreek samen de resultaten.**

Iedere groep vertelt over de activiteit die gekozen is.

TAAK 2 Vertellen over een culturele activiteit die je hebt gedaan

● ● ● Voorbereiden

1 Lees de vragen en de tekst. Beantwoord de vragen.

1 Waar is de tentoonstelling?

_____

2 Zijn alle schilderijen op de tentoonstelling abstract?

_____

3 De tentoonstelling heet 'Op weg naar abstractie'. Wat betekent dat? In welke zin kun je dat lezen? Schrijf de zin op.

_____

Mondriaan: Op weg naar abstractie (1892-1914)

De abstracte schilderijen van Mondriaan zijn heel bekend: ze hebben strakke lijnen en zijn vaak in rood, geel en blauw geschilderd. De schilderijen uit zijn eerste, niet-abstracte, figuratieve periode zijn veel minder bekend.
Deze tentoonstelling gaat over die eerste periode, 1892-1914. Je kunt zien hoe Mondriaan steeds abstracter gaat schilderen, minder realistisch. Niet alleen de vorm verandert, maar ook de kleuren veranderen: van donker naar licht.

2 **Zoek op internet naar afbeeldingen van schilderijen van de schilder Piet Mondriaan.**

Je kunt bijvoorbeeld via Google zoeken: www.google.nl. Je klikt op 'Afbeeldingen'. Je typt de naam 'Mondriaan' in. Dan klik je op 'Afbeeldingen zoeken'.
Kies een schilderij dat je mooi of interessant vindt. Print de afbeelding en neem deze mee naar de les.

3 **Doe de opdrachten van Luisteren 1 bij Voorbereiden op de computer.**

4 **Doe de opdrachten van Luisteren 2 bij Voorbereiden op de computer.**

5 **Doe de opdrachten van Woorden bij Voorbereiden op de computer.**

• • • Uitvoeren

6 **Vertel elkaar over het schilderij van Mondriaan.**

Bij opdracht 2 heb je een afbeelding van een schilderij van Mondriaan gezocht.
Wat zie je op jouw schilderij en wat vind je ervan? Geef om de beurt antwoord.
Welk schilderij vind je het mooist? Waarom?

7.1 **Lees de vragen. Beantwoord de vragen.**

1 Welke culturele activiteiten heb je wel eens gedaan? Wat doe je nu nog steeds?

_____

_____

_____

_____

2 Wanneer was je laatste culturele activiteit?

_____

3 Wat was deze activiteit? Beschrijf de activiteit.

_____

_____

4   Waar was deze activiteit? (land en plaats)

_____

5   Wat vond je van deze activiteit?

_____

 7.2   Vertel een medecursist over een culturele activiteit die je hebt gedaan.

Gebruik je antwoorden bij opdracht 7.1.

Wissel van rol.

• • • Afronden

 8   Luister naar de tekst.

Je hoort hoe opdracht 7.2 kan gaan.

 9   Herhaal opdracht 7.2.

 10   Vertel elkaar over de culturele hoogtepunten van je eigen land.

Cursist A vertelt over de culturele hoogtepunten van zijn land. Wat moeten cursist B en C zien als ze naar dat land gaan? Waar moeten ze naartoe?

Wissel van rol. Cursist B vertelt.

Wissel van rol. Cursist C vertelt.

Cultuur

Twee beroemde schilders

Bijna alle volwassen Nederlanders weten wie Rembrandt en Van Gogh zijn. Rembrandt (1606-1669) was de schilder van licht en donker; hij schilderde het licht op een heel bijzondere manier. Rembrandt kon ook heel goed uitdrukken hoe de mensen op zijn schilderijen zich voelden. Hij schilderde heel expressief. Het bekendste schilderij van Rembrandt is de Nachtwacht. Het hangt in het Rijksmuseum in Amsterdam. Daar kun je veel van zijn schilderijen bekijken.

Van Gogh (1853-1890) is ook bekend om het licht in zijn schilderijen. Hij woonde een paar jaar in Zuid-Frankrijk en kon het Franse zonlicht heel mooi schilderen. Hij schilderde kleine stippen en strepen in heldere, lichte kleuren. Meestal schilderde hij de natuur. Heel bekend is bijvoorbeeld zijn schilderij 'De zonnebloemen'. Ook schilderde hij vaak de gewone, hardwerkende mens en zijn omgeving. Het schilderij de 'De aardappeleters' is een goed voorbeeld. In Amsterdam is een speciaal Van Gogh-museum.

Taak 3 Gedichtjes en spreekwoorden lezen

● ● ● Voorbereiden

1.1 Wat hoort bij elkaar? Vul de goede letter in.

Gebruik eventueel de tekstjes over deze schilders uit taak 2.

1
abstract
strakke lijnen
rood, geel, blauw
maar eerst ook realistisch
gek

2
expressief
De nachtwacht
licht en donker
en ook het gevoel
beroemd

3
realistisch
gewone mensen
ze werken hard
de natuur in Frankrijk
prachtig

a   Rembrandt
b   Van Gogh
c   Mondriaan

1 ___

2 ___

3 ___

Kijk naar de gedichtjes bij opdracht 1.1. Deze gedichtjes zijn 'elfjes'. Een elfje is een kort gedicht. In een elfje kun je in weinig woorden je gevoel uitdrukken, of een idee of iets grappigs vertellen.

1   Uit hoeveel regels bestaat elk gedicht?   _____

2   Uit hoeveel woorden bestaat elk gedicht ?   _____

3   Hoeveel woorden staan er op elke regel?

    regel 1 _____

    regel 2 _____

    regel 3 _____

    regel 4 _____

    regel 5 _____

Wat denk je: wat betekent 'Een dag niet gelachen is een dag niet geleefd'?
a   Als je niet lacht, ga je dood.
b   Humor is een belangrijk deel van je leven.

Spreekwoorden en spreuken vertellen een algemene waarheid of belangrijke levensles. Deze wordt uitgedrukt in één korte, krachtige zin. 'Oost west, thuis best' of 'Jong geleerd is oud gedaan' zijn voorbeelden van oudere spreekwoorden die je nog steeds tegenkomt. Er zijn ook modernere spreekwoorden, zoals 'Een dag niet gelachen is een dag niet geleefd'.

Delfts blauwe tegeltjes met spreuken bestaan sinds het begin van de twintigste
eeuw. Ze hingen aan de muur op het toilet of in de keuken, de woonkamer of de
slaapkamer. Zo dachten mensen steeds weer aan de belangrijke boodschap op het
tegeltje.

 3 Doe de opdrachten van Woorden bij Voorbereiden op de computer.

● ● ● Uitvoeren

 4.1 Zoek op internet naar afbeeldingen van schilderijen.

Zoek naar een schilderij van Van Gogh of Rembrandt. Kies een schilderij
dat je mooi of interessant vindt. Neem een foto of een print van de
afbeelding mee naar de les.

 4.2 Schrijf een elfje.

Kijk goed naar het schilderij uit opdracht 4.1. Schrijf op het werkblad een
elfje over dit schilderij. Lever de foto of print van het schilderij en je elfje
in bij de docent. Het elfje en het schilderij mogen niet op één papier
staan!

 4.3 Lees een elfje.

Van de docent krijg je een elfje. Lees het elfje goed door. Iedere cursist
leest één elfje voor. Begrijpen jullie alles?

 4.4 Loop rond en zoek het schilderij.

Bekijk de schilderijen die op tafel liggen. Welk schilderij hoort bij jouw
elfje?

 5 Wat hoort bij elkaar?

Praat met elkaar over de betekenis van de volgende spreekwoorden. Wat
hoort bij elkaar? Vul de goede letter in.
En ken je deze spreekwoorden ook in je eigen taal?

1 Jong geleerd is oud gedaan.   _____

2 Een goede buur is beter dan een verre vriend. _____

3 Zoals het klokje thuis tikt, tikt het nergens. _____

4   Eerlijk duurt het langst.   _____

5   Wie goed doet, goed ontmoet.   _____

6   Waar een wil is, is een weg.   _____

7   Na gedane arbeid is het goed rusten.   _____

8   Geld maakt niet gelukkig.   _____

9   Een man een man, een woord een woord.   _____

10 De appel valt niet ver van de boom.   _____

a   Als je iets echt graag wilt, zal het ook lukken als je het blijft proberen.
b   Als het werk klaar is, geniet je extra van je rust.
c   Kinderen lijken vaak veel op hun ouders.
d   Als je goed bent voor anderen, zullen anderen ook goed zijn voor jou.
e   Het is beter om eerlijk te zijn. Als je de waarheid niet spreekt, kom je
    niet ver. Ooit zal iedereen weten dat je niet eerlijk was.
f   Je moet doen wat je gezegd hebt.
g   Een goede relatie met je buren is heel belangrijk. Je buurman is sneller
    bij je als je hulp nodig hebt, dan een vriend of je familie die ver weg
    woont.
h   Het is goed om dingen vroeg te leren. Wat je in je jeugd leert, kun en
    ken je nog als je oud bent.
i   Als je weg bent geweest, is het heel fijn om weer thuis te zijn.
j   Ook als je veel geld hebt, kun je problemen krijgen en ongelukkig zijn.
    Geld lost niet alle problemen op.

• • • Afronden

6.1 Schrijf een elfje over de dingen waar jij aan denkt bij 'Nederland'.

6.2 Lees het elfje voor.

7   Zeg een spreekwoord in je eigen taal.

Wat betekent het? Bestaat het spreekwoord ook in het Nederlands of in
een andere taal?

TAAK 4 Een bijzonder huis of gebouw beschrijven

● ● ● Voorbereiden

 1 Doe de opdrachten van Luisteren bij Voorbereiden op de computer.

2.1 Wat hoort bij elkaar? Vul de goede letter in.

Welke beschrijving past bij welke foto?

1 ____

2 ____

3 ____

a Dit is een gebouw met alleen maar rechte lijnen. Het heeft een plat dak. Het is laag en breed en het heeft veel ramen. Het huis ziet er modern uit, maar het is al bijna honderd jaar oud.

b Dit is een heel grote kerk. Hij heeft rechte en ronde lijnen. De daken zijn schuin. De kerk heeft twee torens en kleine ramen. De kerk is heel oud; hij is gebouwd in de elfde eeuw.

c Dit huis heeft rechte lijnen. Het dak is plat. Het is een smal, hoog huis. Het heeft veel ramen: beneden zijn ze groot, boven zijn ze klein. Het is een oud grachtenhuis, uit de negentiende eeuw.

2.2 **Lees de vragen in het schema. Kruis aan.**

Pakketten	foto 1	foto 2	foto 3
Welk gebouw heeft meer dan één dak?			
Welk gebouw is het laagst?			
Welk gebouw heeft de meeste ramen?			
Welk gebouw is breder: 1 of 3?			
Welk gebouw is ouder: 2 of 3?			

3 **Doe de opdrachten van Woorden bij Voorbereiden op de computer.**

● ● ● Uitvoeren

4 **Beschrijf je school of universiteit (van nu of van vroeger). Gebruik onderstaande vragen.**

Cursist A geeft antwoord op de vragen. Cursist B schrijft de antwoorden op.

Is het een oud of nieuw gebouw? _____

Welke kleur heeft het? _____

Heeft het ronde of rechte lijnen? _____

Is het groot of klein? _____

Is het breed of smal? _____

Heeft het een plat dak of een schuin dak? _____

Hoeveel verdiepingen heeft het? _____

Is het hoog of laag? _____

Heeft het veel of weinig ramen? _____

Heeft het grote of kleine ramen? _____

Wissel van rol.

5 **Welk gebouw is het?**

Van de docent krijg je een blad met bekende Nederlandse gebouwen.
Cursist A kiest een foto. Cursist B mag niet weten welke foto het is.
Cursist B stelt vragen aan cursist A over het gebouw of huis.
Cursist B moet zeggen welk gebouw of huis het is. Cursist A zegt of het
goed is.

Wissel van rol.

● ● ● Afronden

 6.1 **Zoek een gebouw uit je eigen land.**

Zoek een gebouw uit je eigen land dat jij bijzonder vindt. Neem een foto
of een print mee naar de les.

 6.2 **Beschrijf een gebouw uit je eigen land.**

Jullie laten om de beurt je gebouw zien. Beschrijf het gebouw. Gebruik de
vragen bij opdracht 4.
Welk gebouw vinden jullie het mooist? Waarom?

 6.3 **Presenteer het mooiste gebouw aan de groep.**

7 **Beschrijf een gebouw of een huis.**

Kijk buiten goed om je heen. Kies een bijzonder gebouw of huis. Beschrijf
het in ongeveer dertig woorden. Schrijf ook het adres op.

_____

_____

_____

_____

_____

Slot

1.1   Beantwoord de volgende vragen. Schrijf alleen losse woorden op.

1   Als je denkt aan Nederland, wat zie jij dan?

_____

_____

2   Als je denkt aan Nederland, wat hoor jij dan?

_____

_____

3   Als je denkt aan Nederland, wat proef jij dan?

_____

_____

1.2   Vergelijk jullie antwoorden bij opdracht 1.1.

2   Luister naar het lied en doe de opdracht.

Wat wordt **niet** genoemd in het lied?

1   Als je denkt aan Nederland, wat zie je dan **niet**?
   a   lijnen
   b   daken
   c   bloemen
   d   luchten
   e   duinen

2   Als je denkt aan Nederland, wat hoor je dan **niet**?
   a   de rivier
   b   de harde g
   c   de fietsbel
   d   de dokter
   e   stemmen

3   Als je denkt aan Nederland, wat proef je dan **niet**?
   a   thee
   b   koffie
   c   haring
   d   drop
   e   bitterbal

3.1   Luister nog een keer naar het lied en vul de goede woorden in.

Het lied is geschreven en gecomponeerd door Henk Noorland, NT2-docent van het jaar 2010.

Als je denkt aan Nederland

Als je denkt aan Nederland, wat zie je dan?
Als je denkt aan Nederland, wat zie je dan?

Ik zie lange rechte _____ door de lage landen gaan.

De bloemen geel, de rode schuine _____.

Ik zie de koeien zwart en wit onder de blauwe luchten staan.

De dijken die ons _____ maken.

En ik zie de lijnen en de kleuren:

een _____ van Mondriaan.

Als je denkt aan Nederland, wat hoor je dan?
Als je denkt aan Nederland, wat hoor je dan?

Ik hoor de _____ van het water, die zingt in alles mee.

In het noorden echt de harde, in het zuiden de zachte g.

Ik hoor de fietsbel hoog en _____ in elke straat.

Ik hoor de stem van de dokter: dat het vanzelf wel _____

En ook in de musea hoor ik nog:
de stemmen van Rembrandt en Van Gogh.

Als je denkt aan Nederland, wat proef je dan?
Als je denkt aan Nederland, wat proef je dan?

Dan proef ik boter, melk, kaas, dat ene _____ bij de thee.

De speculaas van Sinterklaas, de zoute haring en de zee.

Dan _____ ik drop en stamppot, snert, de mayonaise en de friet.

En wat de boer niet kent, dat eet hij liever niet.

Ik proef bij bitterbal en _____ in elke kroeg:

doe nou maar normaal, dat is al _____ genoeg!

Kies een kunstenaar (A), een zanger (B), een film (C) of een boek (D).
Beantwoord alleen de vragen over het onderwerp dat jij hebt gekozen.

A Welke kunstenaar/kunstenares vind jij goed?

_____

Wat voor kunst maakt(e) hij?

_____

Waar komt/kwam de kunstenaar vandaan?

_____

Leeft de kunstenaar nog? Nee? Wanneer leefde hij?

_____

Waarom vind je hem goed?

_____

Zoek een foto van een van zijn kunstwerken of van de kunstenaar zelf.
Neem de foto mee naar de les.

B Welke zanger/zangeres vind jij goed?

_____

Wat voor muziek zingt/zong hij?

_____

Waar komt/kwam hij vandaan?

_____

In welke taal zingt/zong hij?

_____

Leeft hij nog? Nee? Wanneer leefde hij?

_____

Zoek een cd van hem of zet een liedje op een mp3-speler. Neem de cd
of je mp3-speler mee naar de les.

C Welk boek vind je heel bijzonder?

_____

Wie heeft het boek geschreven?

_____

Waar komt de schrijver vandaan?

_____

In welke taal is het boek geschreven?

_____

Hoe oud is het boek?

_____

Waar gaat het boek over?

_____

Waarom vind je het boek zo bijzonder?

_____

Zoek informatie over het boek. Neem de informatie en/of het boek mee naar de les.

D Welke film vind je heel bijzonder?

_____

Wie heeft de film gemaakt?

_____

Waar komt de regisseur vandaan?

_____

In welke taal is de film?

_____

Hoe oud is de film?

_____

Waar gaat de film over?

_____

Waarom vind je de film zo bijzonder?

_____

Zoek informatie over de film. Neem de informatie en/of de film mee naar de les.

 4.2   Wat heb je bij opdracht 4.1 opgeschreven? Vertel erover.

Cursist A vertelt over wat hij heeft opgeschreven en laat een foto, cd of andere informatie zien. Heb je een cd of je mp3-speler meegenomen? Vraag de docent of je een liedje mag laten horen aan de groep of dat je de film mag laten zien.

Wissel van rol. Cursist B vertelt.

Wissel van rol. Cursist C vertelt.

Grammatica en spelling

Dit is de theorie bij Grammatica en spelling. De oefeningen staan op
www.codeplus.nl, deel 2, hoofdstuk 6, Oefenen, Grammatica en spelling.

Taak 1

De superlatief met en zonder substantief   Het adjectief
Je kunt de superlatief <u>zonder</u> substantief gebruiken:
Wat vind je het leukst(e)?
Die workshop rappen lijkt me het leukst(e).

▶▶ Je zegt of schrijft : het + superlatief (+ e).

Je kunt de superlatief <u>vóór</u> een substantief gebruiken. De superlatief is dan een
adjectief.
Wat vind je de leukste activiteit?
Dit is het mooiste concert.

▶▶ Je zegt of schrijft : <u>de/het + superlatief + e</u>

Taak 3

Vergelijkingen   Het adjectief
Vergelijkingen met een adjectief
Rembrandt is   net zo   <u>beroemd</u>   als Van Gogh.
Michael Jackson is   even   <u>goed</u>   als Elvis Presley.

▶▶ In vergelijkingen met een <u>adjectief</u> gebruik je als.

Vergelijkingen met een comparatief
Ik vind dit gedicht <u>mooier</u>   dan dat gedicht.
Ik luister <u>liever</u> naar popmuziek   dan naar jazz.

▶▶ In vergelijkingen met een <u>comparatief</u> gebruik je dan.

Lezen en schrijven

 1 Lees de vragen en de tekst. Beantwoord de vragen.

1 In zijn jeugd is Ali B het liefst
   a   thuis.
   b   op straat.

2 Ali B rapt vooral
   a   zijn eigen teksten.
   b   teksten van anderen.

3 Ali B treedt voor het eerst echt op
   a   in Amsterdam-Oost.
   b   in Almere.

4 Ali B wil mensen
   a   bewust maken van problemen.
   b   laten lachen.
   c   bewust maken van problemen en laten lachen.

5 Ali B werkt hard omdat
   a   hij succes wil hebben.
   b   hij wil dat alles perfect is.

6 Wat is **niet** waar? Ali B wil mensen bewust te maken van de problemen in de wereld.
   a   Daarom zingt hij over die problemen.
   b   Daarom maakt hij grappen over die problemen.
   c   Daarom werkt hij samen met allerlei organisaties.

Een multitalent

Ali B (Ali Bouali, 1981) is een van de bekendste rappers van Nederland. Hij heeft Marokkaanse ouders en groeit op in Amsterdam-Oost. Hij is het liefst de hele dag op straat. Daar vertelt hij zijn vrienden verhalen. Ze vinden hem heel grappig. Hij luistert ook veel naar hiphop en na een tijdje gaat Ali B zijn eigen teksten schrijven. De jongens uit de buurt reageren enthousiast en daarom gaat hij door met schrijven en rappen.

Als hij veertien is, verhuist hij naar Almere. Daar geeft hij zijn eerste echte optreden voor vierhonderd mensen. Het publiek is enthousiast en Ali B gaat steeds meer optreden. Hij vindt het niet belangrijk waar hij optreedt. Het belangrijkste is dat hij zijn boodschap kan vertellen en dat hij de mensen kan laten lachen. Zijn teksten gaan bijvoorbeeld over zijn eigen leven en het multiculturele Nederland. Zijn eerste grote single is 'Waar gaat dit heen'. Deze rap gaat over de problemen in de wereld en de vraag of je er zelf iets aan kunt doen. Zijn eerste cd 'Ali B vertelt het leven van de straat' is een succes en Ali B begint met een theatertour. Hierin combineert hij komedie met rap.

Ali B werkt hard, want hij wil dat alles perfect is. Daardoor heeft hij veel succes. Zijn tweede cd 'Leven van de straat' wordt het best verkochte hiphopalbum van 2004 en hij heeft samen met Marco Borsato een nummer 1-hit met 'Wat zou je doen'. Hij krijgt veel prijzen, zoals een Zilveren Harp, de Popprijs, Dutch Urban Award, twee Mobo (Music of black origin) awards en twee TMF Awards. In 2009 en 2010 treedt hij in het theater op met zijn show 'Wie Ali zegt moet B zeggen'.

Ali B vindt het ook belangrijk dat jongeren zich bewust zijn van de problemen in de wereld, zoals klimaatverandering, armoede en te weinig rechten voor kinderen. Hij werkt daarom samen met bijvoorbeeld Amnesty International, Unicef, War Child en Greenpeace om deze problemen meer te laten zien.

Ali B is een bijzondere rapper en theater- en programmamaker. Hij is ook de eerste rapper in de wereld die een eigen wassen beeld heeft. Dat wassen beeld is te zien in Madame Tussauds in Amsterdam.

 2 Schrijf een verhaal over je favoriete zanger, kunstenaar, boek of film.

Gebruik de informatie die je bij Slot opdracht 4.1 hebt opgeschreven.

HOOFDSTUK 7 En wat doe jij?

Dit hoofdstuk gaat over werk.

Introductie	*144*	
Taak 1	Informatie over een beroep vragen en begrijpen	*146*
Taak 2	Vertellen hoe je werkdag eruitziet	*150*
Taak 3	Schriftelijk solliciteren	*156*
Taak 4	Werk zoeken via een uitzendbureau	*164*
Slot	*169*	
Grammatica en spelling	*170*	
Lezen en schrijven	*172*	

Introductie

Zijn ze tevreden of niet tevreden met hun werk?

	tevreden	niet tevreden
Thérèse	☐	☐
Bart	☐	☐
Jenny	☐	☐
Henk	☐	☐

Thérèse van Staveren (29)
Beroep: lerares
Sinds: 4 jaar
Salaris: € 1775 netto
Voor: 40 uur per week

Ik geef les aan kinderen. Daar heb je veel geduld voor nodig. Ik doe mijn werk heel graag. Ik verdien niet zoveel, maar dat vind ik geen probleem. Het belangrijkste is dat ik mijn werk met plezier doe.

Bart Verweij (31)
Beroep: verkoper
Sinds: 2 jaar
Salaris: € 1500 netto
Voor: 5 dagen per week

Ik werk nu twee jaar als verkoper. Ik weet zeker dat ik dit werk niet mijn hele leven wil doen. Schilderen is mijn grote hobby. Ik hoop ooit met mijn hobby mijn geld te kunnen verdienen.

Jenny Geertsema (25)
Beroep: secretaresse
Sinds: 3 jaar
Salaris: € 1600 netto
Voor: 28 uur per week

Eerst was ik vertaler Engels, maar dat beviel me niet. Als secretaresse heb ik meer contact met collega's en ik heb een goed salaris. Toch wil ik dit werk niet blijven doen. Ik volg een opleiding tot fysiotherapeut. Als ik daarmee klaar ben, ga ik op zoek naar een andere baan.

Henk Zwinkels (47)
Beroep: vliegtuigmonteur
Sinds: 17 jaar
Salaris: € 2100 netto
Voor: 4 dagen per week

Ik repareer vliegtuigen bij KLM. Dit werk wil ik zeker blijven doen, want ik heb veel vrijheid en ik verdien voldoende. Ik denk dat ik hier nog heel lang blijf. Als de KLM tenminste blijft bestaan.

● ● ● Voorbereiden

1 Lees de vraag en de tekst. Beantwoord de vraag.

Welke informatie lees je in de advertentie? Kruis aan.

Je leest:
- ☐ wat de kok moet doen;
- ☐ wat de kok kan verdienen;
- ☐ de werktijden van de kok;
- ☐ op welke dagen de kok moet werken;
- ☐ hoe oud de kok minimaal moet zijn.

Restaurant De Swaen

Zoekt een enthousiaste zelfstandig werkende

KOK (m/v)

Voor 38 uur per week, dinsdag en woensdag vrij.
Gevraagd: Koksdiploma niveau 3
Het keukenteam bestaat uit vijf koks en twee leerling-koks.

De werkzaamheden bestaan uit:
- koken;
- het menu samenstellen;
- bestellingen doen;
- leerling-koks begeleiden.

Salaris: afhankelijk van leeftijd en ervaring min. € 2200 max. € 3000 bruto per maand.

Voor meer informatie: Caspar de Haan, 025-6087441.
Stuur uw schriftelijke sollicitatie naar:
Restaurant de Swaen
t.a.v. C. de Haan
Veluweseweg 112
3840 AE Harderwijk

 2 Doe de opdrachten van Luisteren 1 bij Voorbereiden op de computer.

 3 Doe de opdrachten van Luisteren 2 bij Voorbereiden op de computer.

4 **Doe de opdrachten van Woorden bij Voorbereiden op de computer.**

 Routines

Naar iemands werk vragen
Wat voor werk doe jij?
Wat is jouw beroep?
En wat doe jij?
Werk je fulltime?
Werk je parttime?
Wat zijn je werkzaamheden?
Ben je tevreden met je werk?
Ben je tevreden met je salaris?
Hoe is je baas?
Heb je leuke collega's?

 5 **Doe de opdrachten van Routines bij Voorbereiden op de computer.**

• • • Uitvoeren

6 **Vertel over een beroep.**

Cursist A Kies een van onderstaande beroepen. Beantwoord de vragen van cursist B.

Dit zijn de beroepen:
- verkoper
- secretaresse
- docent

Cursist B Stel vragen over het werk van cursist A.

Dit zijn de vragen:
- Wat zijn je werkzaamheden?
- Wat zijn je werktijden?
- Hoe is je salaris?
- Wat vind je van je baas en je collega's?

Wissel van rol.

7 **Vertel over een beroep.**

Cursist A kiest een beroep. Cursist B stelt vragen over het werk van cursist A.

Wissel van rol.

• • • Afronden

 8 **Praat over je werk. Kies opdracht 1 of 2.**

1 Cursist A, B of C praat over het werk dat hij nu doet. De andere twee cursisten luisteren en stellen vragen, bijvoorbeeld:
Wat voor werk doe je nu?
Wat zijn je werkzaamheden?
Wat moet je precies doen?
Wat vind je leuk en wat vind je niet leuk?
Wat zijn je werktijden?
Wat vind je van je salaris?
Hoe zijn je baas en je collega's?

Wissel van rol.

2 Cursist A, B of C praat over werk dat je graag wilt gaan doen. De andere twee cursisten luisteren en stellen vragen, bijvoorbeeld:
Wat voor werk wil je doen?
Waarom wil je dat werk graag doen?
Wat zijn je taken?
Wat lijkt je leuk en wat lijkt je niet leuk?
Wil je in een groot of een klein team werken?
Hoeveel uur per week wil je werken?
Hoeveel wil je verdienen?

Wissel van rol.

● ● ● Voorbereiden

1 Zet de zinnen in de goede volgorde. Geef elke zin een nummer: 1, 2, 3, enzovoort.

_____ Vervolgens kijkt Thomas in zijn agenda wat hij vandaag moet doen.

_____ Eerst gaat Thomas douchen.

_____ Om 8.30 uur gaat Thomas de deur uit.

_____ Het is 7.30 uur. Thomas wordt wakker.

_____ Om 17.30 uur gaat Thomas naar huis.

_____ Eerst heeft hij een vergadering.

_____ Om 24.00 uur gaat Thomas slapen.

_____ Om 13.00 uur lunch Thomas in de kantine.

_____ Op zijn werk drinkt Thomas eerst een kopje koffie.

_____ Daarna eet Thomas zijn ontbijt.

_____ Eerst drinkt hij een biertje en dan gaat hij koken met zijn vriendin.

_____ Na de lunch praat hij met een paar nieuwe medewerkers.

2.1 Lees de tekst. Zet de zinnen in de goede volgorde. Geef elke zin een nummer: 1, 2, 3, enzovoort.

_____ Ilse praat met een sollicitant.

_____ Ilse gaat naar bed.

_____ Ilse gaat douchen.

_____ Ilse wordt wakker.

_____ Ilse drinkt koffie.

_____ Ilse eet haar lunch in het park.

_____ Ilse kijkt naar het nieuws.

_____ Ilse krijgt bezoek.

_____ Ilse eet een salade.

_____ Ilse eet haar ontbijt.

De dag van Ilse, manager op de Keukenhof

De wekker gaat om half zeven. Mmm, ik wil nog niet. Ik blijf nog even liggen. Ik zet de televisie in mijn slaapkamer aan en kijk naar het nieuws. Daarna douchen en ontbijten. Ik neem een kop thee en een boterham met kaas. Om kwart over acht de deur uit. Ik woon in het centrum van Amsterdam. Mijn auto staat niet voor de deur. Ik loop vijf minuten naar mijn auto. Onderweg koop ik twee broodjes bij de bakker. Dan vlug de auto in en op weg naar de Keukenhof. Om negen uur kom ik daar aan. Altijd eerst koffie, anders word ik niet echt wakker. Om half tien komt er een sollicitant. Het is een leuke, enthousiaste jongen, die graag buiten in het park wil werken.

Daarna bel ik met verschillende uitzendbureaus. Het park gaat over een maand open en dan hebben we ongeveer tweehonderd horecamedewerkers nodig. Want er komen elk seizoen meer dan een miljoen bezoekers uit alle landen, die allemaal wel wat willen eten of drinken.

Half een: mijn collega en ik eten normaal ons broodje achter de computer, maar vandaag gaan we naar buiten. Het is lekker weer en we fietsen door het park, dat nu echt heel mooi wordt. We eten ons brood op een bankje. De eerste bloemen. Prachtig!!

's Middags tegen drieën krijgen we bezoek van een man en een vrouw die souvenirs gaan verkopen in het park. Ze willen weten hoe ze goede verkopers en verkoopsters kunnen vinden. Ik vertel ze hoe wij medewerkers zoeken via advertenties en uitzendbureaus. Het is belangrijk dat het personeel Engels spreekt. Veel bezoekers komen namelijk uit het buitenland. Ook vind ik het belangrijk dat mensen plezier in hun werk hebben. Rond vier uur heb ik nog een gesprek met de mensen die het krantje van het park maken. We bespreken welke onderwerpen in het volgende krantje komen.

Ten slotte, vlak voor ik naar huis ga, rond half vijf, lees ik nog een paar sollicitatiebrieven. We zoeken nog technische medewerkers.

Vijf uur. Hè hè, klaar. De werkdag zit erop. Ik kan naar huis. Thuis maak ik snel een grote salade met brood en soep, want straks ga ik sporten. Om tien uur ben ik weer thuis. Ik kijk nog een uurtje televisie en dan ga ik mijn bed in.

2.2 Welke woorden in de tekst geven de volgorde van de activiteiten aan? Onderstreep deze woorden.

Routines

De volgorde van activiteiten

Om zeven uur word ik wakker.
Eerst ga ik douchen.
Dan drink ik een kopje koffie.
Daarna maak ik eten klaar.
Rond vier uur heb ik nog een gesprek.
Ten slotte lees ik nog een paar sollicitatiebrieven.

---

 3 Doe de opdrachten van Routines bij Voorbereiden op de computer.

••• Uitvoeren

4.1 Wat doen Tobias en Margreet? In welke volgorde?

Cursist A leest de tekst over Tobias.
Cursist B leest de tekst over Margreet.

Cursist A Lees de tekst over Tobias. Vul daarna het schema in.

Een baan in de thuiszorg

Tobias Kranenburg (22)
Ik ben 22 jaar en ik werk in de thuiszorg. Dat houdt in dat ik oudere mensen help met het huishouden en de boodschappen. Ik sta iedere dag om zeven uur op. Ik eet snel een broodje en drink een kop koffie. Om acht uur ga ik de deur uit naar mijn eerste adres. Ik begin altijd eerst met schoonmaken en dan drink ik samen met de mensen een kopje koffie. Voor veel mensen is het belangrijk om even met iemand te praten. Oudere mensen vertellen veel over vroeger; bijvoorbeeld over hoe het

vroeger in de stad was. Zo leer ik hoe de mensen toen leefden; een enorm verschil met nu. Daarna ga ik boodschappen doen. Vaak gaan de mensen voor wie ik zorg met me mee, omdat het belangrijk is dat ze niet de hele week binnen zitten. Als ik bij iemand klaar ben met het werk, ga ik naar het volgende adres. Om vijf uur ben ik meestal wel op alle adressen geweest en ben ik klaar met werken. Ik kom altijd eerder thuis dan mijn vriendin en begin dan vast met koken. Als zij thuiskomt, drinken we wat en we vertellen elkaar hoe onze dag was en gaan dan pas eten. Daarna ga ik meestal nog iets doen, voetballen, een uurtje achter de computer zitten of gewoon lekker een beetje televisie kijken. We gaan niet heel vroeg naar bed, meestal om een uur of half twaalf.

De dag van Tobias
Tijd en activiteit

Om 7.00 uur staat *Tobias op.* _____

Om 8.00 uur _____

Eerst _____

Dan _____

Daarna _____

Om 17.00 uur _____

Eerst _____

Dan _____

Daarna _____

Daarna _____

Om 23.30 uur _____

Cursist B Lees de tekst over Margreet. Vul daarna het schema in.

Een baan in de thuiszorg

Margreet Fernandes (47)

Twee tot drie nachten per week zorg ik voor mensen die 's nachts niet alleen kunnen zijn. Meestal zijn het heel oude of heel zieke mensen. Mijn werktijden zijn van 23.00 tot 7.00 uur. Daardoor zien mijn dagen er soms raar uit. Maar dat vind ik geen probleem. Ik vind het wel leuk 's nachts: wat rustiger en je verdient met hetzelfde soort werk veel meer dan overdag.

Als ik 's nachts moet werken, ga ik aan het eind van de middag om vijf uur nog even een uurtje liggen. Daarna maak ik eten klaar, omdat ik dan nog even met mijn gezin eet. Om een uur of tien ga ik de deur uit en om elf uur ga ik aan het werk. Eerst geef ik de patiënt zijn medicijnen en dan maak ik nog iets te drinken en verzorg ik hem of haar. Dan kunnen ze rustig slapen. De nacht is zo voorbij. Ik heb altijd een boek en mijn laptop bij me, omdat ik wel wat wil kunnen doen als de patiënt me niet nodig heeft. Als ik 's morgens om half acht thuiskom, ga ik eerst even lekker douchen. Daarna eet ik nog een licht ontbijt en dan kan ik lekker gaan slapen. Ik slaap dan tot een uur of twaalf, want dan komen de kinderen weer uit school.

De dag van Margreet
Tijd en activiteit

Om 17.00 uur *gaat Margreet een uurtje liggen.*

Daarna _____

Dan _____

Om 22.00 uur _____

Om 23.00 uur _____

Eerst _____

Dan _____

Om 7.30 uur _____

Eerst _____

Daarna _____

Dan _____

Om 12.00 uur _____

4.2 **Hoe zien de dagen van Tobias en Margreet eruit? Vertel.**

Cursist A vertelt hoe de dag van Tobias eruitziet. Cursist B vult het schema bij opdracht 4.1 in.
Cursist B vertelt hoe de dag van Margreet eruitziet. Cursist A vult het schema bij opdracht 4.1 in.

 4.3 **Controleer de antwoorden.**

Cursist A leest de tekst over Margreet en controleert de informatie in het schema van 4.1.
Cursist B leest de tekst over Tobias en controleert de informatie in het schema van 4.1.

● ● ● Afronden

 5 **Hoe ziet jouw dag eruit?**

Cursist A Vertel hoe je dag er vandaag uitziet.
Cursist B Schrijf de activiteiten van cursist A in het schema.

De dag van _____

tijd	activiteit

Wissel van rol.

Controleer de antwoorden.

● ● ● Voorbereiden

1 Lees de vragen en de advertentie. Beantwoord de vragen.

1 Hoe kun je solliciteren?
- ☐ schriftelijk
- ☐ telefonisch
- ☐ via internet

2 Wat kun je doen als je meer informatie wilt?

COMNED VERTALERS BV
is een modern vertaalbureau. Het bureau bestaat vijf jaar en we bedienen met een klein team van 10 medewerkers en 500 freelancers ongeveer 3000 klanten.

Voor onze Engelse taalgroep zoeken wij een

Vertaler (m/v)
32 uur per week

De vertaler vertaalt en corrigeert op kantoor verschillende teksten. De vertaler houdt ook contact met de freelance vertalers en verdeelt de werkzaamheden binnen de Engelse taalgroep.

De sollicitant:
- heeft het Engels als moedertaal;
- heeft een vertaalopleiding op hbo/universitair niveau;
- heeft ervaring;
- heeft voldoende kennis van het Nederlands;
- kan werken in een team;
- is flexibel.

Ons kantoor in Enschede ligt vlak bij het station.
Bent u geïnteresseerd in deze baan? Stuur dan uw schriftelijke sollicitatie met cv aan:
ComNed Vertalers BV
T.a.v. Mevrouw M. Kesting
Postbus 3142
7541 KA Enschede
Voor meer informatie kunt u bellen met Marijke Kesting (053-5434448) of u kunt onze website bezoeken: www.ComNedBV.nl.

2.1   Lees de tekst.

Met succes solliciteren

Een baan die bij je past

Je leest een advertentie en je denkt: 'Wat een leuke baan!' Maar waarom eigenlijk? Om te weten of een baan bij je past moet je jezelf vier vragen stellen:
- Wat wil ik?
- Wat kan ik?
- Waarom deze baan?
- Waarom dit bedrijf?

Meer weten helpt

Je leest de advertentie en probeert je voor te stellen wat de baan precies inhoudt. Onder aan de advertentie staat vaak de naam van een man of vrouw die je kunt bellen als je meer informatie wilt.

Kijk goed naar de informatie over de baan.
- Wat voor werk is het precies?
- Wat is daarvan het belangrijkste?
- Werk ik alleen of in een team?

Wat zijn de eisen?
- Hoeveel werkervaring vragen ze?
- Welke opleiding vragen ze?
- Wat voor persoon vragen ze?

Meer weten over het bedrijf?
Kijk dan op internet.
- Wat doet of maakt het bedrijf?
- Hoelang bestaat het bedrijf al?
- Hoe groot is het bedrijf?

Een goede sollicitatiebrief

In een goede sollicitatiebrief staat wie je bent en waarom je vindt dat de baan bij je past. In deze brief geef je alleen informatie over je vooropleiding en over je werkervaring die belangrijk is voor deze baan. Andere gegevens zet je in het curriculum vitae.

Curriculum vitae (cv)

Een cv bestaat uit gegevens zoals adres en geboortedatum, maar bevat ook gegevens over opleiding en werkervaring. Je behandelt die twee punten apart.

Je begint met je opleiding en dan geef je een overzicht van je werkervaring. Je begint dan met het werk dat je het laatst hebt gedaan of nu nog doet. Door je cv te geven, laat je zien wat je kunt en wat je hebt gedaan.

Sollicitatieformulier
Je leest een advertentie op internet. Je kunt dan ook vaak een sollicitatieformulier downloaden. In dat formulier schrijf je een motivatie. Je schrijft waarom je die baan wilt hebben. Je vult dat formulier in en verstuurt het met je cv erbij.

2.2 **Lees de vragen en kijk nog eens naar de advertentie van opdracht 1. Beantwoord de vragen.**

1 Wat weet je over de baan?

2 Wat zijn de eisen?

3 Wat weet je over het bedrijf?

3.1 Lees de twee brieven van mensen die solliciteren naar de baan bij ComNed Vertalers BV.

Margareth de Vries - Wilson
Lange Houtstraat 134
7615 AE Almelo
tel: 0546-827132

ComNed Vertalers BV
t.a.v. Mevrouw M. Kesting
Postbus 3142
7541 KA Enschede

Almelo, 24 juni 2012

Geachte mevrouw Kesting,

Mijn naam is Margareth de Vries-Wilson. Ik ben geboren in Sydney, Australië. Ik woon sinds twaalf jaar in Nederland, omdat ik met een Nederlandse man getrouwd ben. We hebben twee kinderen; een van negen en een van twaalf jaar. Ik heb de vertaalopleiding aan de Universiteit van Amsterdam gedaan. Toen de kinderen klein waren, heb ik als freelance vertaler gewerkt. Nu de kinderen groter zijn, zoek ik een baan buitenshuis. Ik kan echter alleen 's ochtends werken en ik wil niet meer dan twintig uur per week werken. In mijn curriculum vitae vindt u meer informatie over mijn opleiding en werkervaring. Ik hoop dat u me uitnodigt voor een gesprek, zodat we persoonlijk kunnen kennismaken.

Hoogachtend,

Margareth de Vries - Wilson

Petra Bartels
Oude Hoogstraat 212
7322 LM Apeldoorn
055-5879879

ComNed Vertalers BV
t.a.v. Mevrouw M. Kesting
Postbus 3142
7541 KA Enschede

Apeldoorn, 23 juni 2012

Geachte mevrouw Kesting,

Ik ben geïnteresseerd in de baan van vertaler Engels bij uw bureau. Ik heb
Engels gestudeerd aan de Hogeschool in Leeuwarden en ik heb daarna twee
jaar in Engeland gewoond. Nu ben ik docent Engels op een middelbare
school, maar ik ben op zoek naar een andere baan. Op dit moment volg ik een
vertaalopleiding aan de Hogeschool in Utrecht. Ik heb dus nog niet zo veel
ervaring. Het lijkt mij erg leuk om in een klein team te werken. Ik vind het
geen probleem om ook 's avonds of in het weekend te werken.
Bij deze brief vindt u mijn curriculum vitae. Ik hoop dat u zo voldoende
informatie hebt. Natuurlijk kom ik ook graag een keer persoonlijk
kennismaken.

Met vriendelijke groet,

Petra Bartels

● ● ● Uitvoeren

3.2 Wie is de beste sollicitant? Let op de eisen in de advertentie van opdracht 1.

Wat vind je goed in de brief van Margareth? Wat vind je niet goed? Waarom?
Wat vind je goed in de brief van Petra? Wat vind je niet goed? Waarom?
Wie nodig je uit voor een sollicitatiegesprek? Waarom?

Maak aantekeningen. Je hebt ze nodig bij opdracht 3.3.

 3.3 Praat met een medecursist over de vragen van 3.2. Kies samen de beste sollicitant.

 3.4 Bespreek de resultaten.

4.1 Lees de tekst.

In de tekst staan tips voor het schrijven van een cv. Er staat ook een voorbeeld van een cv.

Tips voor het schrijven van een curriculum vitae (cv)

1 Geef informatie die belangrijk is voor de baan die je wilt.
2 Maak het cv niet te lang.
3 Zorg dat alle informatie duidelijk is.
4 Zorg dat alle informatie juist is. Als je bijvoorbeeld een opleiding niet hebt afgemaakt, zeg dat dan eerlijk.
5 Maak geen typefouten en spelfouten.

Wat moet erin en in welke volgorde?
1 Persoonlijke gegevens: naam, voornaam (of voornamen), adres, telefoon, e-mail, geboortedatum, nationaliteit.
2 Opleiding: de hoogste opleiding eerst. Cursussen die je gevolgd hebt, maar alleen als ze belangrijk zijn voor de baan.
3 Werkervaring: wat heb je gedaan, waar, bij welk bedrijf en wanneer. Begin met je laatste baan of de baan die je nu nog hebt.
4 Talenkennis: welke talen spreek je en hoe goed spreek je ze?
5 Overig: hier kun je persoonlijke informatie geven. Je kunt bijvoorbeeld een hobby of interesse noemen.

Voorbeeld-cv

Curriculum vitae van Petra Bartels

Naam: Petra Bartels
Adres: Oude Hoogstraat 212
                   7322 LM Apeldoorn
Tel.:   055-5879879 / 06-31712492
E-mail: p.bartels@hotmail.com
Geboren: 10 mei 1982 in Harderwijk
Nationaliteit: Nederlandse

Opleiding:

2008 - nu	Vertaalopleiding Hogeschool Utrecht, 3e jaar
1999 - 2003	Lerarenopleiding Engels, Hogeschool Leeuwarden
1994 - 1999	Havo (Christelijk College Nassau-Veluwe in Harderwijk)

Werkervaring:

2005 - nu	Docente Engels op het Vitus College in Ede
2003 - 2005	Verschillende werkzaamheden in Engeland
Talenkennis:	Engels vloeiend, zowel schriftelijk als mondeling, Frans en Duits schriftelijk goed, mondeling communicatief niveau
Hobby:	Tennissen

 4.2 Bespreek wat je wilt schrijven in een eigen cv. Praat over de vragen.

Wat schrijf jij in je cv over jezelf (persoonlijke informatie)?
Wat schrijf je niet?
Wat schrijf je over je opleiding?
Heb je werkervaring? In welke functie heb je gewerkt? Hoelang?

4.3 Schrijf je eigen curriculum vitae. Neem het mee naar de les.

 4.4 Bekijk de cv's van twee medecursisten.

Let op de volgende punten:
Is de informatie duidelijk?
Staat alles in de goede volgorde?
Hoe kan het nog beter? Heb je een tip?

• • • Afronden

 5.1 Lees de advertentie. Vul het sollicitatieformulier in.

 5.2 Vergelijk jullie formulieren.

Wie heeft de beste motivatie?
Wie krijgt de baan?

 5.3 Bespreek de resultaten.

Ieder groepje vertelt wie de baan krijgt en waarom.

Werk zoeken via een uitzendbureau

● ● ● Voorbereiden

1 Lees het inschrijfformulier van uitzendbureau Werkwinkel. Wat wil het
uitzendbureau weten? Kruis aan.

Het uitzendbureau wil weten:
- ☐ wanneer je wilt werken;
- ☐ hoeveel uur je wilt werken;
- ☐ wat voor soort werk je wilt doen;
- ☐ wat je werkervaring is;
- ☐ wat je opleiding is;
- ☐ wat je leeftijd is;
- ☐ in de buurt van welke stad je wilt werken;
- ☐ wat je kunt.

Uitzendbureau Werkwinkel

Op welke dag(en) en/of dagdelen wil je werken?

	ma	di	wo	do	vr	za	zo
ochtend							
middag							
avond*							
nacht**							

*   Wanneer je 's avonds wilt werken, moet je minstens zestien jaar oud zijn.
**   Wanneer je 's nachts wilt werken, moet je minstens achttien jaar oud zijn.

Wat voor soort werk zoek je?
☐ algemeen
☐ horeca
☐ kantoor
☐ schoonmaak
☐ thuiszorg

Wat is je opleiding?
☐ vmbo
☐ mavo
☐ havo
☐ vwo
☐ hbo
☐ universiteit

Ik zoek werk in de buurt van:
☐ Amsterdam
☐ Utrecht
☐ Arnhem

ZOEK

 2   Doe de opdrachten van Luisteren 1 bij Voorbereiden op de computer.

 3   Doe de opdrachten van Luisteren 2 bij Voorbereiden op de computer.

 4   Doe de opdrachten van Woorden bij Voorbereiden op de computer.

Routines

Informatie vragen over een baan

Hoeveel uur per week moet ik werken?
Op welke dagen moet ik werken?
Wat voor werk moet ik precies doen?
Wat zijn de werktijden?
Wat is het salaris?
Wat voor bedrijf is het?

 5 Doe de opdrachten van Routines bij Voorbereiden op de computer.

● ● ● Uitvoeren

6 Voer het gesprek.

Cursist A zoekt werk. Cursist B is medewerker bij een uitzendbureau.

Wissel van rol.

 7.1 Zoek op internet een baan die bij je past.

Zoek op internet de website van een uitzendbureau. Bijvoorbeeld
www.startpeople.nl, www.tempoteam.nl of www.unique.nl. Zoek een
baan die bij je past. Schrijf op waarom je denkt dat jij geschikt bent voor
de baan. Schrijf ook een paar vragen op die je wilt stellen over de baan.
Print de advertentie. Neem de advertentie en je vragen mee naar de les.

 7.2 Oefen een kort sollicitatiegesprek. Gebruik de advertentie van 7.1.

Cursist A is medewerker bij het uitzendbureau. Hij begint het gesprek
met 'Goedemorgen, wat kan ik voor je doen?'
Cursist B reageert: hij zoekt een baan. Hij vertelt:
▪ welke baan hij heeft gekozen;
▪ waarom hij de baan wil;
▪ waarom hij geschikt is.
Ook stelt hij een paar vragen over de baan.

Cursist C observeert het sollicitatiegesprek. Hij let op de volgende
punten:
▪ wat de motivatie van cursist B is;
▪ welke vragen cursist B stelt;
▪ of cursist A duidelijke antwoorden geeft;
▪ hoe de sfeer is.

Hij vertelt aan A en B wat goed ging. Hij geeft ook een tip om het nog beter te doen.

Wissel twee keer van rol. Elke cursist oefent een kort sollicitatiegesprek.

••• Afronden

8   Voer een sollicitatiegesprek met je docent.

De docent voert een kort sollicitatiegesprek met een cursist. De andere cursisten observeren. Zij schrijven op hoe het gaat. Bespreek daarna samen wat goed ging, wat minder goed ging en hoe dat beter zou kunnen.

Cultuur

Mannenwerk - vrouwenwerk

De afgelopen 25 jaar is het aantal vrouwen dat betaald werk doet, sterk gestegen. In 2009 had 60% van de vrouwen tussen de 15 en 64 jaar een baan voor 12 uur of meer in de week. Het aantal mannen dat werkt is ruim 80%. Tegenwoordig zijn vrouwen net zo goed opgeleid als mannen. Toch zijn er nog grote verschillen. Vrouwen krijgen minder geld. Ze verdienen 20 - 30% minder dan mannen. Ze werken meestal parttime; veel vrouwen combineren de zorg voor hun kinderen met een (kleine) baan. En ze werken vaak in beroepen die slechter betaald worden. Mannen werken vaak in de hogere banen. En: hoe hoger de banen, hoe hoger het salaris.
In sommige beroepen vinden we vooral mannen, in andere beroepen vooral vrouwen. Mannen werken vaak in technische beroepen en in het transport of de industrie. In verzorgende beroepen werken veel vrouwen. Beroepen waarin veel vrouwen werken zijn: secretaresse, docent en verpleegkundige. Ook in winkels en hotels werken veel vrouwen. Beroepen waarin vroeger bijna alleen mannen werkten en waar nu vrouwen de meerderheid hebben of snel zullen krijgen, zijn bijvoorbeeld rechter en huisarts.

Beantwoord de vragen.

1 Werken in onderstaande beroepen in jouw land meer mannen of
meer vrouwen?

	Nederland	Mijn land
chirurg	meer mannen	
docent basisschool	meer vrouwen	
vertaler	meer vrouwen	
(bus)chauffeur	meer mannen	
kok	meer mannen	
architect	meer mannen	
kapper	meer vrouwen	
doktersassistent	meer vrouwen	
monteur	meer mannen	

2 Heb je in Nederland wel eens een vrouw in een beroep gezien dat je
niet bij een vrouw vond passen? Denk bijvoorbeeld aan een vrouw
als monteur of taxichauffeur. Zo ja, in welk beroep? Waarom vond je
het niet passen?

_____

3 Heb je in Nederland wel eens een man gezien in een beroep dat je
niet bij een man vond passen? Denk bijvoorbeeld aan een man als
tandartsassistente of secretaresse. Zo ja, in welk beroep? Waarom
vond je het niet passen?

_____

Vergelijk de salarissen van acht beroepen.

In welke beroepen krijg je in Nederland een hoog salaris en in welke
een laag salaris? En in jouw land? Zet bij elk beroep kruisjes in de goede
kolommen.

	Nederland		Mijn land	
	hoog salaris	*laag salaris*	*hoog salaris*	*laag salaris*
advocaat				
kassamedewerker				
tandarts				
kapper				
helpdeskmedewerker				
secretaresse				
apotheker				
bankdirecteur				

 Vergelijk je antwoorden met twee medecursisten.

 Bespreek samen de antwoorden.

 Voer het gesprek.

Praat met elkaar over onderstaande stellingen.
1   Mannen en vrouwen moeten samen het geld voor het gezin verdienen.
2   Vrouwen kunnen beter kinderen opvoeden dan mannen.
3   Vrouwen met kleine kinderen moeten niet werken.
4   Mannen en vrouwen moeten beiden parttime werken.
5   Mannen moeten ook in verzorgende beroepen werken, zoals in de thuiszorg.

 Bespreek samen de resultaten.

Slot

1   Lees de tekst en beantwoord de vragen.

Jongeren werken met het meeste plezier

Jongeren hebben meer plezier in hun werk dan hun oudere collega's. Ook vinden ze de sfeer op het werk belangrijker. Dit blijkt uit een onderzoek van de FNV naar het werkplezier van mensen. Men stelde vragen aan ruim duizend personen.
Het salaris blijkt voor bijna de helft van de werknemers het belangrijkste. Plezier in het werk is het belangrijkste voor 30% van de mensen, zelfstandig kunnen werken voor 10% en de werktijden voor 15%.

1 Wat vind jij het belangrijkste in je werk? En hoe belangrijk vind je de andere dingen? Verdeel honderd punten.

Voorbeeld:

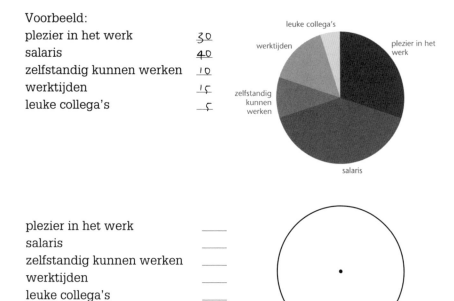

plezier in het werk	30
salaris	40
zelfstandig kunnen werken	10
werktijden	15
leuke collega's	5

plezier in het werk	_____
salaris	_____
zelfstandig kunnen werken	_____
werktijden	_____
leuke collega's	_____

2 Teken jouw puntenverdeling in de cirkel.

 2 **Vergelijk jullie cirkels met elkaar. Wat is hetzelfde? Wat zijn de verschillen?**

Grammatica en spelling

Dit is de theorie bij Grammatica en spelling. De oefeningen staan op www.codeplus.nl, deel 2, hoofdstuk 7, Oefenen, Grammatica en spelling.

Taak 2

De bijzin. De relatieve bijzin met 'die' of 'dat'   De zin

hoofdzin	bijzin
We fietsen door **het park**	**dat** nu echt heel mooi <u>wordt</u>.
Ik zie **de jongen**	**die** in het park <u>werkt</u>.
Ik praat met de **mensen**	**die** het krantje van het park <u>maken</u>.

▶▶ Relatieve bijzinnen geven extra informatie over een woord.
Bij een **het**-woord gebruik je **dat** (het park → dat).
Bij een **de**-woord gebruik je **die** (de jongen → die / de mensen → die).
In de relatieve bijzin staat <u>de persoonsvorm</u> (pv) aan het eind van de zin.

Let op:

Het is een enthousiaste jongen — die graag in het park werkt. (de jongen → die; een jongen → die)

Het is een enthousiast meisje — dat graag in het park werkt. (het meisje → dat; een meisje → dat)

Taak 3

De samenstelling — Morfologie

de sollicitatiebrief
de werkervaring
de schoenenwinkel
het werktempo

Deze woorden noemen we samenstellingen, omdat twee woorden samen één woord vormen.
Het kunnen twee substantiva zijn:
sollicitatie - brief
werk - ervaring
schoenen - winkel
werk - tempo

▸▸ de of het?
de sollicitatiebrief, want het is de brief
het uitzendbureau, want het is het bureau

▸▸ Het tweede deel van de samenstelling bepaalt of de samenstelling een de-woord of een het-woord is.

De vorm van het woord — Morfologie

adjectieven	substantieven
schriftelijk	de bezoeker
gezellig	de vrijheid
telefonisch	de vriendin
middelbaar	de opleiding
werkloos	de leraar

▸▸ Woorden die eindigen op -lijk, -ig, -isch, -baar, -loos zijn adjectieven.
▸▸ Woorden die eindigen op -er, -heid, -in, -ing, -aar zijn substantieven.

Lezen en schrijven

 1 **Lees de vragen en de tekst. Beantwoord de vragen.**

1 Kies de beste titel.
    a Studeren en werken
    b Studeren is een zware baan
    c Studeren kost veel geld

2 Kies de goede zin bij [1].
    a Hij studeert vier dagen per week.
    b Hij verdient tien euro per uur.
    c Hij werkt acht uur per dag.

3 Kies de goede zin bij [2].
    a Meestal kan ik ook nog studeren.
    b Meestal kan ik vroeg eten.
    c Meestal kan ik ook de winkel schoonmaken.

4 Kies het goede woord bij [3].
    a auto
    b bijbaan
    c kamer

5 Wie werkt het meest?
    a Dawoud
    b Rudy
    c Joeri

6 Wie verdient het meest?
    a Dawoud
    b Rudy
    c Joeri

7 Hoeveel geld kan Joeri per dag verdienen?
    a niet meer dan vijfenveertig euro
    b vijfenveertig euro of meer

8 Welke zin is waar?
    a Alle mensen tanken zelf benzine.
    b De meeste mensen tanken zelf benzine.

9   Welke zin is waar?
  a   Joeri vindt zijn werk leuk omdat hij een baan heeft die niet veel studenten hebben.
  b   Joeri vindt zijn werk leuk omdat hij in een dure auto mag rijden als hij werkt.
  c   Joeri vindt zijn werk leuk omdat hij alleen maar auto's aan bekende Nederlanders verkoopt.

Studenten hebben meestal niet veel geld. Daarom hebben ze vaak een bijbaan. Hun leven ziet er dan zo uit: ze gaan naar college, ze studeren thuis én ze werken een aantal uren per week. Ze werken bijvoorbeeld als kassamedewerker, ze doen kantoorwerk, ze werken in een restaurant of café of ze werken in de zorg. Lees hieronder welke bijbaan Dawoud, Rudy en Joeri hebben.

Dawoud (20) werkt één dag per week in een hotel, van negen tot vijf uur. [1], dus tachtig euro per week.
'Sinds een half jaar werk ik in een hotel in het centrum van 's-Hertogenbosch, waar ik een aantal leuke collega's heb. Wat ik doe? Nou, eigenlijk doe ik heel veel dingen. Ik moet heel hard werken. Soms maak ik de hele dag kamers schoon en dat vind ik niet zo leuk. Met sommige kamers ben je snel klaar, maar andere kamers zijn erg vies. Wc's schoonmaken vind ik het ergst. Het liefst werk ik in de keuken. Ik doe daar de eenvoudige dingen: salades en soep maken en broodjes klaarmaken.'

Rudy (18) werkt twaalf uur per week als kassamedewerker bij een benzinepomp. Hij verdient daarmee vijf euro per uur.
'Eigenlijk is het een fietsenwinkel met drie benzinepompen. Bij deze benzinepomp moet je zelf benzine tanken, maar oude mensen help ik vaak. Omdat ik op zondag werk, is het een rustig baantje. [2]. Mijn baas betaalt dus mijn studie-uren!'

Joeri (23) werkt als autoverkoper, een [3] die niet veel studenten hebben. Dit werk doet hij één dag per week, van tien tot vijf uur. Hij verdient vijfenveertig euro per dag. En voor elke auto die hij verkoopt, krijgt hij vijftig tot honderd euro.
'Wij verkopen Ferrari's, Porsches en Bentleys. Tijdens mijn werk kan ik in zo'n dure auto rijden, geweldig! Dat wil toch iedereen! Wat ik ook leuk vind is dat veel bekende Nederlanders bij mij een auto hebben gekocht. Bijvoorbeeld Ruud Gullit, dj Jean en Jan des Bouvrie. En een paar weken geleden kwam er een jongen van twintig op rode gympen langs. Ik dacht dat hij een student was en dat hij misschien een fiets wilde kopen. Nou, dan moet hij niet bij mij zijn! Maar nee, hij kocht even een auto van 200.000 euro.'

2 Schrijf een verhaal. Kies opdracht 1 of 2.

1 Heb je een (bij)baan gehad? Schrijf over die (bij)baan. Gebruik onderstaande vragen.

Hoeveel uur per week werkte je?
Hoeveel verdiende je per uur?
Wat moest je doen?
Vond je het werk leuk?

2 Heb je nooit een (bij)baan gehad? Schrijf dan wat voor (bij)baan je graag wilt hebben. Gebruik onderstaande vragen.

Wat voor werk wil je doen?
Waarom wil je dat werk doen?
Hoeveel wil je per uur verdienen?
Hoeveel uur per week wil je werken?

HOOFDSTUK 8 Het laatste nieuws

Dit hoofdstuk gaat over nieuws, weer en verkeer.

Introductie	176	
Taak 1	Nieuwsberichten lezen	177
Taak 2	Luisteren naar en praten over nieuwsberichten	183
Taak 3	Vervoersproblemen doorgeven	184
Taak 4	Praten over het weer	186
Slot	190	
Grammatica en spelling	190	
Lezen en schrijven	192	

Introductie

Doe de opdrachten bij Introductie op de computer.

TAAK 1 Nieuwsberichten lezen

• • • Voorbereiden

1 Je wilt weten of er nog nieuws is, in Nederland of in de wereld. Wat doe je het liefst? Kruis aan.

☐ het nieuws lezen
☐ naar het nieuws luisteren
☐ naar het nieuws kijken

2 Lees de vragen. Beantwoord de vragen.

1 Hoe lees jij het nieuws?
☐ in een papieren krant
☐ op internet
☐ op teletekst

2 In welke taal lees je het nieuws?

_____

3 Welk nieuws lees je het liefst?
a nieuws uit Nederland
b nieuws uit mijn eigen land
c nieuws uit de hele wereld

4   Over welke nieuwsonderwerpen lees je het liefst? Kruis aan.
    ☐ politiek
    ☐ sport
    ☐ cultuur
    ☐ _____

5   Lees je een Nederlandse krant of nieuwssite? Zo ja, welke
    bijvoorbeeld?

    a   ja, _____
    b   nee

3   **Doe de opdrachten van Woorden bij Voorbereiden op de computer.**

• • • Uitvoeren

4.1   **Bedenk bij elke krantenkop twee vragen.**

Hieronder staan twee krantenkoppen. Een krantenkop is de titel van een
nieuwsbericht in de krant. Bekijk de krantenkoppen. Wat wil je als eerste
weten? Bedenk bij elke krantenkop twee vragen. Schrijf de vragen op.

Jaarlijks 600.000 doden door meeroken

1   _____?
2   _____?

Niet-westerse allochtoon verdient minder

1   _____?
2   _____?

4.2   **Onderstreep de belangrijkste informatie.**

Kijk naar de twee teksten hieronder. Waar staat de belangrijkste
informatie? Onderstreep de belangrijkste informatie.

Jaarlijks 600.000 doden door meeroken

Jaarlijks sterven 600.000 mensen in de hele wereld door meeroken, van wie
165.000 kinderen. Dat schrijven onderzoekers van wereldgezondheidsorganisatie
WHO in het tijdschrift The Lancet. Dit is de eerste grote studie naar meeroken. 40
procent van de kinderen, 33 procent van de vrouwen en 35 procent van de mannen

ademen de tabaksrook van anderen in. De doden bij volwassenen zijn te vinden in alle landen. De kinderen die sterven door meeroken, wonen vooral in arme landen. Zij zijn vaak al verzwakt door infecties. De meerokers sterven vooral aan hartproblemen, astma en longkanker.

Niet-westerse allochtoon verdient minder

Niet-westerse allochtonen in Nederland verdienen nog steeds minder dan hun autochtone collega's. Het verschil is wel kleiner geworden, nu de tweede generatie allochtonen aan het werk is. Dat blijkt uit cijfers die het Centraal Bureau voor de Statistiek (CBS) maandag publiceerde.
Niet-westerse allochtonen van de eerste generatie verdienden nog 20 procent minder dan hun autochtone collega's. Nu is dat verschil 4,5 procent. Het verschil in loon is vooral te verklaren uit een ander opleidingsniveau. (ANP)

 4.3 Geven de teksten antwoord op jullie vragen?

Zoek nu het antwoord op jullie vragen uit opdracht 4.1 in de teksten van opdracht 4.2.

 4.4 Wat doe je zelf?

Hieronder staan twee manieren om snel de belangrijkste informatie uit een nieuwsbericht te halen.
a   Je leest de krantenkop en de eerste zin(nen).
b   Je leest de krantenkop, bedenkt vragen en je zoekt het antwoord op de vragen in de tekst.

Vertel elkaar welke manier je het fijnst vindt. Manier a of b of nog een andere manier? En waarom?

 5.1 Bedenk bij de krantenkop drie vragen.

Hieronder staan twee krantenkoppen. Cursist A kijkt naar de eerste krantenkop en bedenkt drie vragen. Cursist B kijkt naar de tweede krantenkop en bedenkt ook drie vragen. Schrijf de vragen op.

Cursist A **Vliegtuig neergestort**

1   _____?

2   _____?

3   _____?

Cursist B **Chinese schoolkinderen gewond**

1 _____ ?

2 _____ ?

3 _____ ?

 5.2 Zoek de antwoorden op de vragen.

1 Cursist A kijkt nu naar tekst 2. Cursist B stelt zijn vragen bij tekst 2.
Cursist A zoekt in de tekst het antwoord op de vragen en vertelt het
aan cursist B. Cursist B schrijft de antwoorden op. Als het antwoord
niet in de tekst staat, zegt cursist A dat.

2 Cursist B kijkt nu naar tekst 1. Cursist A stelt zijn vragen bij tekst 1.
Cursist B zoekt in de tekst het antwoord op de vragen en vertelt het
aan cursist A. Cursist A schrijft de antwoorden op. Als het antwoord
niet in de tekst staat, zegt cursist B dat.

Antwoorden tekst 2

1 _____

2 _____

3 _____

Antwoorden tekst 1

1 _____

2 _____

3 _____

Tekst 1

Vliegtuig neergestort

Een vliegtuig met 68 mensen aan boord, onder wie 40 Cubanen, is donderdag
neergestort in Cuba. Waarschijnlijk heeft niemand de crash overleefd. Over de
nationaliteit van de 28 andere inzittenden is nog niets bekend. Het vliegtuig was
op weg van Havana naar Santiago de Cuba. Hoe het ongeluk kon gebeuren, is nog
niet bekend.
Onder de 68 inzittenden zijn zeven bemanningsleden.

Tekst 2

Chinese schoolkinderen gewond

Op een basisschool in het westen van China zijn maandag tientallen kinderen gewond geraakt. In de pauze probeerden zij zo snel mogelijk op de speelplaats te komen. Op de smalle trap naar beneden vielen veel kinderen. Zij werden onder de voet gelopen door andere kinderen. Honderd kinderen zijn daarbij gewond geraakt. Veertig gewonde kinderen moesten in het ziekenhuis worden opgenomen. Er zijn geen doden zijn gevallen.

 5.3 Controleer samen de antwoorden.

Hebben jullie met de vragen en antwoorden de belangrijkste informatie uit de teksten gehaald?

● ● ● Afronden

 6.1 Zoek twee korte nieuwsberichten in het Nederlands. Print ze. Maak de opdracht.

Lees twee korte nieuwsberichten in het Nederlands. Onderstreep de belangrijkste informatie.

 6.2 Vertel elkaar wat je hebt gelezen. Vertel alleen de belangrijkste informatie.

 7 Bespreek samen jullie antwoorden van opdracht 2 bij Voorbereiden.

TAAK 2 Luisteren naar en praten over nieuwsberichten

• • • Voorbereiden

1 **Lees de vragen. Beantwoord de vragen.**

1 Hoe vaak kijk je naar het Nederlandse nieuws?

    a Ik kijk ____ keer per dag.

    b Ik kijk ____ keer per week.

    c Ik kijk nooit.

Heb je a of b geantwoord? Beantwoord dan ook vraag 2, 3 en 4.

2 Naar welke nieuwsprogramma's kijk je wel eens? Kruis aan.
- ☐ het NOS-journaal
- ☐ RTL Nieuws
- ☐ het Jeugdjournaal

- ☐ _____

3 Hoeveel van het nieuws op televisie begrijp je?
    a heel weinig
    b minder dan de helft
    c ongeveer de helft
    d meer dan de helft
    e bijna alles

4 Wat doe je als je een nieuwsbericht niet begrijpt?

• • • Uitvoeren

2 Zoek een nieuwsuitzending op internet. Kies één nieuwsbericht.

Kijk en luister twee of drie keer naar het nieuwsbericht en beantwoord de vragen.

1 Wat is het onderwerp van het bericht?

_____

2 Wat is de belangrijkste informatie over het onderwerp? Schrijf twee of drie zinnen op.

_____

_____

_____

3 Vertel elkaar welke nieuwsberichten (opdracht 2) je hebt gezien en gehoord.

Vertel van elk bericht wat het onderwerp is. Vertel ook de belangrijkste informatie over het onderwerp.

• • • Afronden

4.1 Kijk met de groep naar een nieuwsbericht.

De docent laat een nieuwsbericht een paar keer zien. Geef antwoord op de volgende vragen.
1 Wat is het onderwerp?

_____

2 Wat is de belangrijkste informatie over het onderwerp? Schrijf twee of drie zinnen op.

_____

_____

_____

4.2 Vergelijk jullie antwoorden en praat erover met elkaar.

TAAK 3 Vervoersproblemen doorgeven

● ● ● Voorbereiden

1 **Welke problemen heb jij wel eens met het vervoer in Nederland? Kruis aan.**

☐ Ik sta met mijn auto in de file.
☐ Ik heb vertraging met het openbaar vervoer.
☐ Ik moet staan in de trein, omdat het zo druk is.
☐ Ik heb een kapotte fiets, een lekke band bijvoorbeeld.

☐ _____

2 **Doe de opdrachten van Luisteren 1 bij Voorbereiden op de computer.**

3 **Doe de opdrachten van Luisteren 2 bij Voorbereiden op de computer.**

4 **Doe de opdrachten van Woorden bij Voorbereiden op de computer.**

● ● ● Uitvoeren

5.1 Voer een telefoongesprek over vervoersproblemen.

Cursist A Het is 8.40 uur. Je hebt om 9.00 uur een belangrijk examen. Je bent op weg met de fiets, maar je krijgt een lekke band. Je moet verder lopen. Je komt zeker te laat. Je belt een vriend die ook examen moet doen.

Cursist B Het is 8.40 uur. Je moet om 9.00 uur examen doen. Je wacht bij de ingang van het gebouw op je vriend die ook examen moet doen. Hij belt je.

Wissel van rol.

5.2 Voer een telefoongesprek over vervoersproblemen.

Cursist A Het is 9.30 uur en je staat met je auto in een lange file. Je moet naar je werk. Je hebt om 10.00 uur een afspraak met je baas. Je weet zeker dat je te laat zult komen. Je belt je baas op.

Cursist B   Het is 9.30 uur. Je bent de baas van cursist A. Hij heeft om 10.00 uur een afspraak met je. Hij belt je op.

Wissel van rol.

 5.3   Voer een telefoongesprek over vervoersproblemen.

Cursist A   Het is 10.45 uur. Je staat op het perron op de trein te wachten. Je hebt om 12.00 uur een sollicitatiegesprek. Je hoort dat je trein een half uur vertraging heeft. Misschien kom je te laat. Je belt naar de persoon met wie je een afspraak hebt.

Cursist B   Het is 10.45 uur. Je hebt om 12.00 uur een afspraak met cursist A. Hij wil bij jou komen werken. Hij komt solliciteren. Hij belt je op.

Wissel van rol.

● ● ● Afronden

6   Schrijf een sms'je.

Je zit in de trein. Je hebt een feestje in Rotterdam bij je vriend Eric en je bent een beetje te laat vertrokken. Dan staat de trein opeens stil. Je hoort: 'Dames en heren, er is helaas een technisch probleem. We kunnen voorlopig niet verder rijden.'
Schrijf een sms'je aan je vriend Eric. Geef het aan je docent.

 7   Doe de opdracht van Luisteren bij Afronden op de computer.

Je hoort hoe het gesprek van opdracht 5.3 kan gaan.

TAAK 4 Praten over het weer

● ● ● Voorbereiden

1 Wat hoort bij elkaar? Vul de goede letter in.

1 Het is bewolkt.
2 Het regent.
3 Het is 16 graden.
4 Het sneeuwt.
5 De zon schijnt.

1 ____

2 ____

3 ____

4 ____

5 ____

2   Lees de teksten en kijk naar de kaartjes. Wat hoort bij elkaar? Vul de goede letter in.

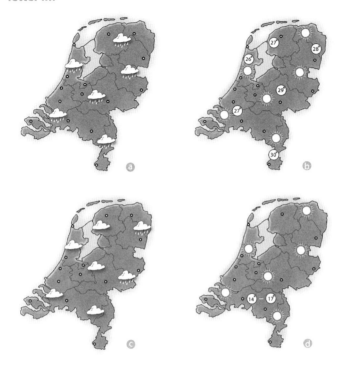

Tekst 1

Het wordt morgen een mooie dag. De wind waait uit het zuidoosten en het blijft droog. Het wordt ongeveer 14 graden in het noorden en 17 graden in het zuiden. Na morgen wordt het iets kouder en is er kans op regen.

Tekst 2

Voor mensen die niet van koud weer, sneeuw en ijs houden heb ik goed nieuws: er komt warmere lucht naar Nederland toe! Morgen zal het niet meer vriezen; het wordt namelijk 4 tot 7 graden. Wel is er dan kans op een bui.

Tekst 3

De dag begint morgen koud met 6 graden in het westen en 9 graden in het zuiden. De wind komt uit het noordoosten. 's Middags zal het in heel Nederland ongeveer 14 graden zijn. In het noordoosten blijft de kans op een bui.

Tekst 4

Vandaag was het 24 tot 27 graden in Nederland, morgen wordt het nog iets warmer. Het wordt dan 27 tot 30 graden. Echt zomerweer dus!

Tekst 1 ____   Tekst 3 __

Tekst 2 ____   Tekst 4 __

3 **Doe de opdrachten van Luisteren 1 bij Voorbereiden op de computer.**

 4 **Doe de opdrachten van Luisteren 2 bij Voorbereiden op de computer.**

5 **Beantwoord de vragen.**

1 Hoe vaak zoek je informatie over het weer?

_____

2 Waar zoek je informatie over het weer?

_____

3 Waarom wil je weten wat de weersverwachting is?

_____

 6 **Doe de opdrachten van Woorden bij Voorbereiden op de computer.**

● ● ● Uitvoeren

 7.1 **Vraag of vertel wat voor weer het wordt.**

Kies A of B en lees de instructies op je werkblad.

 7.2 **Vraag of vertel wat voor weer het wordt.**

Wissel van rol en lees de instructies op je werkblad.

8 **Praat over het weer.**

Kijk naar buiten. Praat met elkaar over het weer van vandaag. Wat voor weer is het?
Wat voor weer was het gisteren?

● ● ● Afronden

Cultuur

Het weer

Nederlanders praten veel over het weer, omdat het weer in Nederland vaak verandert en het helemaal niet zeker is wat voor weer het is in de lente, zomer, herfst of winter. In de lente kan het regenen, maar soms zijn er ook heel mooie, warme dagen. De zomer is meestal niet echt warm. En in de zomer kan het ook nog vaak regenen. De herfst is de tijd van storm en regen, maar er zijn ook wel dagen dat de zon schijnt en het wel lijkt of het lente is. Je weet het dus eigenlijk nooit.

Er zijn veel Nederlandse uitdrukkingen die met het, vaak onzekere, weer te maken hebben. Bijvoorbeeld: 'het kan vriezen en het kan dooien'. Dat betekent dat je nog niet weet hoe iets zal gaan.

Als je een gesprekje over koetjes en kalfjes wilt voeren, kun je beginnen over 'het weer'. Dat doen Nederlanders vaak. Ze zeggen dan: 'Lekker weer, hè?' of 'Wat een weer, hè?'

 Praat over het weer in Nederland en je eigen land. Gebruik onderstaande vragen.

1 Hoeveel seizoenen zijn er in jouw land?
2 Hoe is het weer in jouw land in de verschillende seizoenen?

3 Welke activiteiten kun je daar 's zomers buiten doen?
4 Welke activiteiten kun je daar 's winters buiten doen?
5 Wat vind je de voordelen en de nadelen van het weer in Nederland?

Bespreek samen de antwoorden.

Slot

Luister naar een nieuwsbericht.

Luister naar de docent. De docent leest een nieuwsbericht twee keer voor.
Schrijf de belangrijkste informatie in twee of drie zinnen op. Vergelijk de
zinnen met die van een andere cursist.
Lees daarna de tekst die je van je docent krijgt. Controleer of je de juiste
informatie hebt opgeschreven.

Grammatica en spelling

Dit is de theorie bij Grammatica en spelling. De oefeningen staan op
www.codeplus.nl, deel 2, hoofdstuk 8, Oefenen, Grammatica en spelling.

Taak 3

Het indefiniet pronomen   Het pronomen
Ik reis het liefst met de trein: in de trein kun je lekker de krant lezen en sta je niet in
de file.
Het weerbericht is belangrijk als je buiten werkt. Mensen die binnen werken
hebben geen last van het weer.

Je heeft in deze voorbeelden een algemene betekenis.
Je is informeel. We gebruiken het in de spreektaal en in de schrijftaal.

Let op:
We kunnen jij niet gebruiken als pronomen indefinitum.

Taak 4

Het reflexief pronomen   Het pronomen
Er zijn verba die met een reflexief pronomen worden gebruikt, bijvoorbeeld:

zich vervelen

zich haasten

zich ergeren aan iets

zich voelen

▶▶ Het reflexief pronomen verwijst naar het subject van de zin.

Ik	verveel	me	in de auto.
Laura	verveelt	zich	in de auto.

De vormen van het reflexief pronomen zijn:

Singularis
subject		reflexief pronomen		
1	Ik	voel	me	goed.
2	Je / Jij	voelt	je	goed.
	U	voelt	zich	goed. / U voelt u goed.
3	Ze / Zij, Hij	voelt	zich	goed.

Pluralis
1 We / Wij	voelen	ons	goed.
2 Jullie	voelen	je	goed.
3 Ze / Zij	voelen	zich	goed.

Let op:

Ik verveel me in de auto. (reflexief pronomen direct na de pv)

In de auto verveel ik me. (bij inversie reflexief pronomen direct na het subject)

Lezen en schrijven

 1 **Lees de vragen en de tekst. Beantwoord de vragen.**

1 Vul boven elke alinea een kopje in. Je kunt kiezen uit zeven kopjes.
Er zijn dus twee foute kopjes.

File - Instappen - Locatie - Prijs - Tijd - Trouwen - Uitstappen

2 Het is vrijdagochtend 26 september, acht uur. Het waait heel hard en
het regent.
Vaart de watertaxi?
a ja
b nee

Watertaxi

Ben je wel eens met de watertaxi naar je werk gegaan? Of naar een museum of
restaurant? Of wat denk je van de watertaxi als 'trouwauto'? In een aantal plaatsen in
Nederland kan het!

_____

De watertaxi vaart niet in alle steden in Nederland, maar wel in het centrum van
drukke steden zoals Leiden, Rotterdam en Amsterdam.

_____

Zo werkt het. Je parkeert je auto op een speciale parkeerplaats buiten de stad. Je
hoeft dus niet in de file te staan om de stad in te komen en er zijn genoeg
parkeerplaatsen. Als je je auto geparkeerd hebt, moet je twee minuten lopen naar de
halte van de watertaxi. Daar stap je in en ga je naar de plaats waar je heen wilt.
Makkelijk toch!
En als je weer terug naar je auto wilt, ga je naar een van de haltes van de watertaxi.
Je kunt ook op een andere plaats instappen, maar dan moet je eerst de watertaxi
bellen.

_____

Je kunt zelf zeggen waar je in het centrum van de stad wilt uitstappen. Als je in het
centrum werkt, kun je dus met de watertaxi naar je werk reizen. En toeristen kunnen
bijvoorbeeld een stad vanaf het water bekijken, of naar een museum of een
restaurant varen. En als je trouwt: niet met de auto naar het gemeentehuis, maar
met de watertaxi. Leuk toch!

_____

Voor een parkeerplaats betaal je elf euro per dag en dat is veel goedkoper dan een dag parkeren in het centrum van de stad! Natuurlijk moet je ook voor de watertaxi betalen; een retour kost drie euro per persoon.

_____

De watertaxi vaart van april tot en met oktober, maar niet als het heel hard waait. De watertaxi vaart dan van zondag tot en met woensdag van acht uur 's morgens tot twaalf uur 's nachts en de rest van de week van elf uur 's morgens tot tien uur 's avonds.

 2 Luister naar het weerbericht op radio of televisie.

Wat is de weersverwachting voor morgen?
Schrijf op hoeveel graden het wordt en of het gaat regenen.

_____

_____

Antwoorden

Hoofdstuk 1

Introductie
Supermarkt: bijvoorbeeld melk, brood, koffie, groente, fruit
Boekwinkel: bijvoorbeeld boeken (leesboeken, studieboeken, kookboeken, kinderboeken), tijdschriften
Kledingwinkel: bijvoorbeeld T-shirt, rok, broek, trui, sokken, jas

Taak 1
Opdracht 1

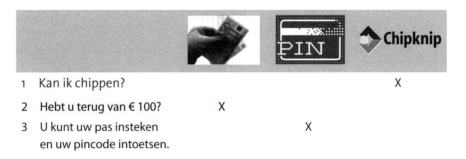

			PIN	Chipknip
1	Kan ik chippen?			X
2	Hebt u terug van € 100?	X		
3	U kunt uw pas insteken en uw pincode intoetsen.		X	

Opdracht 6
1 a; 2 c; 3 b
4

	pinpas	chipknip
supermarkten	X	
kantines		X
parkeerautomaten		X
benzinestations	X	
kleding- en schoenenwinkels	X	

Taak 2
Opdracht 1
1 a; 2 c; 3 f; 4 b ; 5 d; 6 e

Taak 4
Opdracht 1
1 f; 2 g; 3 h; 4 e; 5 b; 6 a; 7 d; 8 c

Slot

Opdracht 2

Wij gaan samenwonen. Leuk!

Maar we hebben 4 eetkamerstoelen te veel!

Wie wil ze? Ze zijn van hout en 1 jaar oud.

Prijs: t.e.a.b.

Lezen en schrijven

Opdracht 1

1 b; 2 a; 3 a3, b1, c2

Opdracht 2

Beste meneer Jansen,

Ik heb uw advertentie op internet gezien. U hebt een sportieve fiets te koop. Ik heb een aantal vragen over deze fiets:

Hoeveel kost de fiets? Is het een dames- of een herenfiets en in welke kleur? Hoe oud is hij en heeft hij altijd binnen of buiten gestaan?

Kunt u mij mailen? Mijn adres is: piet@gmail.nl

Met vriendelijke groet,

Piet Zwart

Hoofdstuk 2

Taak 1

Opdracht 1

postzegel, brievenbus, postkantoor, postpakket, bezorgen

Opdracht 2.1

1   Hij krijgt de brief woensdag.

2   b

3   c

4   c

Opdracht 2.2

(De prijzen veranderen elk jaar; deze zijn van juni 2012.)

1   1 NL1/€ 0,50; 2 € 6,75; 3 € 7,50; 4 Europa 1/€ 0,85

2   € 8,50 zonder Track & Trace, € 13,00 met Track & Trace

Opdracht 4

1 d; 2 c; 3 a; 4 b

Opdracht 7

3   € 24,30

4   8 dagen

Taak 2

Opdracht 1

1 d; 2 a; 3 b; 4 c

Opdracht 2

1   een geldig legitimatiebewijs en een bewijs van je adres

2   55 euro

3   een gratis boek

4   op maandag en woensdag

5   de inleverdatum

6   een halfuur; het kost niets

Taak 3

Opdracht 1

- legitimatiebewijs
- handtekening

Taak 4

Opdracht 1

Een gemeente kan zijn: een grote stad of een aantal kleine dorpen samen.

Opdracht 2

1 b; 2 f; 3 a; 4 c; 5 d; 6 e

Opdracht 3

1   De gemeente:
- houdt de stad schoon;
- controleert of alle kinderen naar school gaan;
- zorgt voor goede straten en fietspaden;
- zorgt voor het groen in de stad;
- haalt het afval op;
- maakt de straat schoon;
- zorgt voor glasbakken, papierbakken en plasticbakken.

2   Voor een verhuizing, trouwen, de geboorte van een kind aangeven, een paspoort of rijbewijs.

3   b

4   Het wordt nog een keer gebruikt.

5   Binnen 5 werkdagen.

6   b

7   10 jaar

8 Binnen 3 werkdagen.
9 c

Opdracht 9
Geachte heer, mevrouw,

Op 4 september verhuis ik van Huizen naar Weesp. Ik wil graag weten:
Wat zijn de openingstijden van het gemeentehuis?
Wanneer wordt het afval opgehaald?
Hebt u adressen van scholen voor mijn kinderen van zes en acht jaar?
Is er ook een bibliotheek?
Welke bussen rijden in Weesp?

Kunt u mij deze informatie geven?

Alvast hartelijk dank.

Met vriendelijke groet,

Kim de Wit
Mijn oude adres is Waterstraat 1, 1271 RP Huizen.
Mijn nieuwe adres is Prinses Beatrixlaan 41, 1381 AG Weesp.

Lezen en schrijven
Opdracht 1
1 b
2 b

Opdracht 2

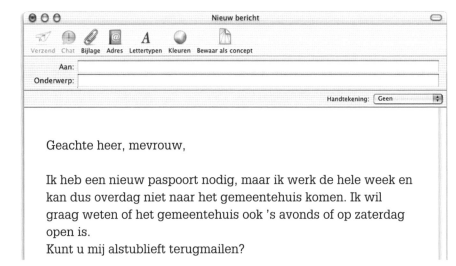

Bij voorbaat dank.

Met vriendelijke groet,

Fatima El-Bouhali

Hoofdstuk 3

Introductie
Opdracht 1.1
a Je krijgt het medicijn.
b Je bent ziek.
c Je gaat naar de dokter en krijgt een recept.
d Je bent weer beter.
e Je gaat naar de apotheek.

Opdracht 1.2
5 Je bent weer beter.
2 Je gaat naar de dokter en krijgt een recept.
4 Je krijgt het medicijn.
3 Je gaat naar de apotheek.
1 Je bent ziek.

Taak 1
Opdracht 1
1 d; 2 c; 3 e; 4 b; 5 a

Opdracht 3.1   *xylometazoline*
1 ja; 2 ja; 3 ja; 4 nee; 5 nee; 6 ja

Opdracht 3.1   *paracetamol*
1 ja; 2 ja; 3 nee; 4 ja; 5 ja; 6 nee

Taak 2
Opdracht 1
1 b; 2 a

Taak 4
Opdracht 1
Gezonder is:
- gegrild vlees
- één glas wijn per dag drinken
- één keer per week sporten
- niet snoepen

Opdracht 4
1 Nienke
2 Kemal
3 Johan
4 Shirley

Lezen en schrijven
Opdracht 1
Beste Isabelle,

Wat vervelend dat je zo vaak hoofdpijn hebt!
Mijn advies: je moet minder dingen doen. Je moet je huiswerk 's middags
maken. Dan kun je 's avonds chatten of televisiekijken. Op
woensdagmiddag kun je naar de stad en in het weekend kun je hockey
spelen.
Als je minder doet, slaap je beter en heb je ook minder hoofdpijn.

Groeten,

Silvia

Opdracht 2

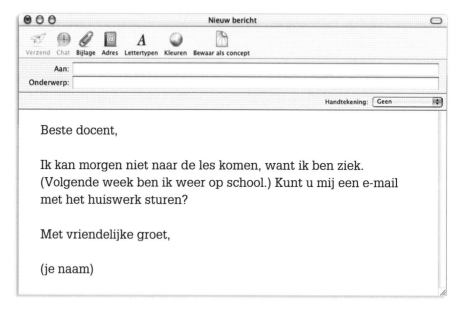

Opdracht 3

```
● ● ●                        Nieuw bericht                              ⬭

  ✈   ⊕   🖉   @   A    ◯        🖹
Verzend  Chat  Bijlage  Adres  Lettertypen  Kleuren  Bewaar als concept

      Aan:  ┌──────────────────────────────────────────────┐
            └──────────────────────────────────────────────┘
  Onderwerp:  ┌──────────────────────────────────────────────┐
            └──────────────────────────────────────────────┘
                                    Handtekening:  [ Geen        ⬍]

    Beste meneer/mevrouw,


    Gisteren, [datum], was mijn dochter Anouschka Petrovic
    (klas 3B) niet op school omdat zij ziek was.
    Vandaag komt ze weer op school.


    Met vriendelijke groet,


    (je naam), de moeder van Anouschka
```

Hoofdstuk 4

Taak 1

Opdracht 1

b

Opdracht 2

- Je wacht samen met een collega op de bus.
- Je ziet je buurman in de supermarkt.
- Je staat samen met een collega bij de koffieautomaat.
- Je staat in de lift met iemand die je niet kent.

Opdracht 4

Fragment 1

Leo   Hé Marloes, ga je ook met bus 170?
Marloes   Ja, maar die is weer eens te laat.
           Ik sta hier al een kwartier!

Fragment 2

Marloes   Hallo Leo! Hoe is het?
           Weer met de bus vandaag?
Leo   Ja, nog één keer.
           Morgen kan ik weer met de auto.

Fragment 3

Yassin	Dag mevrouw De Baard.
Mevr.	Hé, dag Yassin. Hoe gaat het met je?
Yassin	Nou, goed hoor.
	Ik ben weer klaar voor vandaag.

Fragment 4

Alice	Hoi Daria. Ook boodschappen aan het doen?
Daria	Hé, dag Alice. Ja, dat moet ook gebeuren hè?

Fragment 5

Student 1	Zeg, zie je dat? De koffie is alweer duurder geworden.
Student 2	Ja, nou ja ... een paar maanden geleden ook al!

Opdracht 5
- Heb jij het ook zo druk?
- Lekker weer vandaag, hè?
- Woont u hier ook in de buurt?
- Wat duurt het lang voor die bus komt!
- Ik zag dat je een nieuwe auto hebt. Gaaf!

Taak 2

Opdracht 3
1 Hai Monique, nou ja, het gaat wel.
2 Is er iets? Heb je soms ruzie met Hans?
3 Ach nee .... nou ja, eigenlijk wel. Het gaat niet zo goed.
4 Zal ik zo even bij je langskomen voor een kopje koffie?
5 Dat is wel fijn ja.

Opdracht 4
Ach nee, het is gewoon erg druk.
Nee hoor, niets aan de hand.
Ach nee, gewoon een beetje moe.

Taak 3

Opdracht 1
1 oma b; 2 opa b; 3 vader a; 4 moeder a; 5 oom b; 6 tante b; 7 dochter a;
8 zoon a; 9 neef b; 10 nicht b; 11 broer a; 12 zus a

Opdracht 2.2

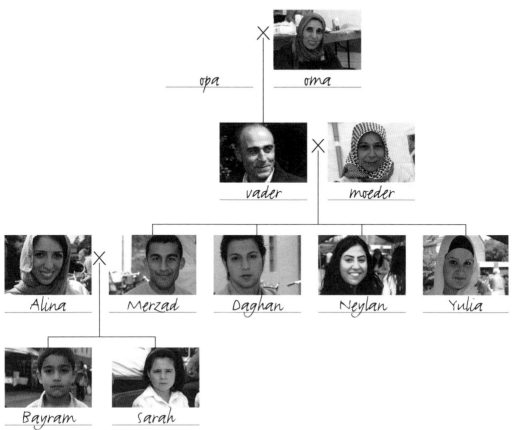

Taak 4

Opdracht 1

1 b
2 Hij is lang (1 meter 90).
3 Een vrouw die lief en aardig is.

Opdracht 3

1 c; 2 d; 3 a; 4 e; 5 b

Opdracht 4

karakter	uiterlijk	interesse	
leuk	leuk	concerten	
eerlijk	mooi	yoga	
open	jong	films	
sociaal	slank	weekendtrips	→

karakter	uiterlijk	interesse
warm	aantrekkelijk	ontbijt op bed
verlegen	verzorgd	barbecue
gezellig	donker	verwennen/verwend
lief	blond	worden
intelligent	modern	het nachtleven
eerlijk	huidskleur	dansen
spontaan		uitgaan
trouw		cultuur
actief		gezelligheid
extravert		een goed gesprek
vrolijk		eten
modern		een weekend weg
soulmate		films kijken
humor		koken
cafétype		muziek

Lezen en schrijven
Opdracht 1
1 b; 2 a; 3 b

Opdracht 1
1 b; 2 a; 3 a

Hoofdstuk 5

Introductie
Opdracht 2
de opleiding; het diploma; het vak; studeren; de studie

Taak 1
Opdracht 1
1 d; 2 c; 3 a; 4 b

Opdracht 2
1 c; 2 c; 3 c; 4 c; 5 b; 6 c

Opdracht 3
1 b; 2 a

Taak 2
Opdracht 1
1 c; 2 d; 3 b; 4 a

Opdracht 3
1   Hij heeft algemene biologie gestudeerd aan de universiteit.
2   Hij heeft biologie op het hbo gestudeerd.
3   Hij wil gaan werken.

Opdracht 5.1
▪ In Soedan heeft hij de middelbare school gedaan.
▪ In Nederland heeft hij mbo economie gedaan.
▪ Hij werkt nu.
▪ Hij wil een hbo-studie doen.

Opdracht 5.2
▪ Hij heeft vwo gedaan.
▪ Hij heeft geneeskunde gestudeerd.
▪ Hij wil de huisartsenopleiding gaan doen.

Taak 3
Opdracht 2
1   Nee, ze krijgen een uitnodiging.
2   Tekenen: goed.
3   Rekenen: onvoldoende

Taak 4
Opdracht 2
1 c; 2 b; 3 b

Opdracht 7
Hoi Rob,

Hoe gaat het met je? Gaat het goed met je studie?

Ik volg nu een cursus Nederlands. De cursus duurt tien weken. Ik heb drie keer per week les, vier uur per dag. En ik moet veel huiswerk maken, wel vier uur per dag!
Lezen gaat goed, maar luisteren vind ik moeilijk. Ik kijk veel naar de televisie en ik luister naar de radio, en ik lees de krant.
Mijn docent is erg aardig, we lachen veel in de les.

Zullen we binnenkort afspreken?

Groeten,

Mike

Lezen en schrijven
Opdracht 1
1 b; 2 a; 3 a; 4 a; 5 a; 6 b; 7 b; 8 b

Opdracht 2

Situatie 1
Beste meneer Pietersen,

Ik wil u vragen om mijn zoon Yusuf een dag vrij te geven op [datum]. Zijn zus gaat dan trouwen en wij willen graag dat Yusuf die dag ook op de bruiloft kan zijn.

Met vriendelijke groet,

Ayse Seyhan, de moeder van Yusuf

Situatie 2
Beste mevrouw Harmsen,

Op [datum] heb ik les, maar dan trouwt mijn zus. Kan ik die dag vrij krijgen?

Met vriendelijke groet,

John Matthews

Hoofdstuk 6

Taak 1
Opdracht 2
1

nummer	theater	dans	muziek	film	architectuur
1			X		
2			(X)	X	
3	X				
4		X	X		
5					X
6		X	X		
7				X	

2 nummer 3 - theater Terra
3 nummer 5 - de stadswandeling

4 Oudegracht 176 - nummer 2
5 Dat kost niets.
6 dansen - nummer 6

Taak 2
Opdracht 1
1 In het Gemeentemuseum in Den Haag.
2 Nee.
3 Je kunt zien hoe Mondriaan steeds abstracter gaat schilderen, minder realistisch.

Taak 3
Opdracht 1.1
1 c; 2 a; 3 b

Opdracht 1.2
1 vijf
2 elf
3 regel 1 - één woord
  regel 2 - twee woorden
  regel 3 - drie woorden
  regel 4 - vier woorden
  regel 5 - één woord

Opdracht 5
1 h; 2 g; 3 i; 4 e; 5 d; 6 a; 7 b; 8 j; 9 f; 10 c

Taak 4
Opdracht 2.1
1 b; 2 c; 3 a

Opdracht 2.2

Pakketten	foto 1	foto 2	foto 3
Welk gebouw heeft meer dan één dak?	X		
Welk gebouw is het laagst?			X
Welk gebouw heeft de meeste ramen?		X	
Welk gebouw is breder: 1 of 3?	X		
Welk gebouw is ouder: 2 of 3?		X	

Slot
Opdracht 2
1 e; 2 a; 3 b

Opdracht 3
lijnen - daken - bijzonder - schilderij
stem - laag - overgaat
koekje - proef - bier - gek

Lezen en schrijven
Opdracht 1
1 b; 2 a; 3 b; 4 c; 5 b; 6 b

Hoofdstuk 7

Introductie

	tevreden	niet tevreden
Thérèse	☒	☐
Bart	☐	☒
Jenny	☐	☒
Henk	☒	☐

Taak 1
Opdracht 1
- Wat de kok moet doen.
- Wat de kok kan verdienen.
- Op welke dagen de kok moet werken.

Taak 2
Opdracht 1
6 Vervolgens kijkt Thomas in zijn agenda wat hij vandaag moet doen.
2 Eerst gaat Thomas douchen.
4 Om 8.30 uur gaat Thomas de deur uit.
1 Het is 7.30 uur. Thomas wordt wakker.
10 Om 17.30 uur gaat Thomas naar huis.
7 Eerst heeft hij een vergadering.

12 Om 24.00 uur gaat Thomas slapen.
8   Om 13.00 uur luncht Thomas in de kantine.
5   Op zijn werk drinkt Thomas eerst een kopje koffie.
3   Daarna eet Thomas zijn ontbijt
11 Eerst drinkt hij een biertje en dan gaat hij koken met zijn vriendin.
9   Na de lunch praat hij met een paar nieuwe medewerkers.

Opdracht 2.1
6   Ilse praat met een sollicitant.
10 Ilse gaat naar bed.
3   Ilse gaat douchen.
1   Ilse wordt wakker.
5   Ilse drinkt koffie.
7   Ilse eet haar lunch in het park.
2   Ilse kijkt naar het nieuws.
8   Ilse krijgt bezoek.
9   Ilse eet een salade.
4   Ilse eet haar ontbijt.

Opdracht 2.2

De dag van Ilse, manager op de Keukenhof
De wekker gaat **om half zeven**. Mmm, ik wil nog niet. Ik blijf nog even liggen.
Ik zet de televisie in mijn slaapkamer aan en kijk naar het nieuws. **Daarna**
douchen en ontbijten. Ik neem een kop thee en een boterham met kaas. **Om
kwart over acht** de deur uit. Ik woon in het centrum van Amsterdam. Mijn
auto staat niet voor de deur. Ik loop vijf minuten naar mijn auto. Onderweg
koop ik twee broodjes bij de bakker. **Dan** vlug de auto in en op weg naar de
Keukenhof. **Om negen uur** kom ik daar aan. Altijd **eerst** koffie, anders word ik
niet echt wakker. **Om half tien** komt er een sollicitant. Het is een leuke,
enthousiaste jongen, die graag buiten in het park wil werken.
Daarna bel ik met verschillende uitzendbureaus. Het park gaat over een
maand open en **dan** hebben we ongeveer tweehonderd horecamedewerkers
nodig. Want er komen elk seizoen meer dan een miljoen bezoekers uit alle
landen, die allemaal wel wat willen eten of drinken.
Half een: mijn collega en ik eten normaal ons broodje achter de computer,
maar vandaag gaan we naar buiten. Het is lekker weer en we fietsen door
het park, dat nu echt heel mooi wordt. We eten ons brood op een bankje.
De eerste bloemen. Prachtig!!
's Middags tegen drieën krijgen we bezoek van een man en een vrouw die
souvenirs gaan verkopen in het park. Ze willen weten hoe ze goede
verkopers en verkoopsters kunnen vinden.
Ik vertel ze hoe wij medewerkers zoeken via advertenties en
uitzendbureaus. Het is belangrijk dat het personeel Engels spreekt. Veel
bezoekers komen namelijk uit het buitenland. Ook vind ik het belangrijk
dat mensen plezier in hun werk hebben. **Rond vier uur** heb ik nog een

gesprek met de mensen die het krantje van het park maken. We bespreken welke onderwerpen in het volgende krantje komen.

Ten slotte, vlak voor ik naar huis ga, lees ik nog een paar sollicitatiebrieven. We zoeken nog technische medewerkers.

Vijf uur. Hè hè, klaar. De werkdag zit erop. Ik kan naar huis. Thuis maak ik snel een grote salade met brood en soep, want **straks** ga ik sporten. **Om tien uur** ben ik weer thuis. Ik kijk nog een uurtje televisie en **dan** ga ik mijn bed in.

Opdracht 4.1

De dag van Tobias

Om 7.00 uur staat Tobias op.
Om 8.00 uur gaat hij de deur uit.
Eerst gaat hij schoonmaken.
Dan drinkt hij een kopje koffie.
Daarna gaat hij boodschappen doen.
Om 17.00 uur is Tobias klaar met werken.
Eerst gaat hij koken.
Dan drinkt hij wat met zijn vriendin.
Daarna gaat hij eten.
Daarna gaat hij meestal nog iets doen.
Om 23.30 uur gaat Tobias naar bed.

De dag van Margreet

Om 17.00 uur gaat Margreet een uurtje liggen.
Daarna maakt zij eten klaar.
Dan eet zij met haar gezin.
Om 22.00 uur gaat ze de deur uit.
Om 23.00 uur begint ze met werken.
Eerst geeft zij de patiënt zijn medicijnen.
Dan maakt zij iets te drinken en verzorgt de patiënt.
Om 7.30 uur komt Margreet thuis.
Eerst gaat zij douchen.
Daarna eet zij haar ontbijt.
Dan gaat ze slapen.
Om 12.00 uur staat ze op.

Taak 3

Opdracht 1

1 schriftelijk.
2 Bellen met Marijke Kesting of op internet kijken.

Opdracht 2.2

1 De baan is voor een vertaler Engels voor 32 uur per week.
   De werkzaamheden zijn: vertalen, corrigeren, contact houden met
   freelance vertalers, het werk verdelen.

2 De vertaler moet:
- Engels als moedertaal hebben;
- een vertaalopleiding gedaan hebben op hbo-/universitair niveau;
- ervaring hebben;
- voldoende kennis van het Nederlands hebben;
- in een team kunnen werken;
- flexibel zijn;
3 Het bedrijf:
- is een modern vertaalbureau en bestaat vijf jaar;
- heeft 10 medewerkers en 500 freelancers en heeft ongeveer 3000 klanten;
- is vlak bij het station in Enschede;

Taak 4
Opdracht 1
Het uitzendbureau wil weten:
- wanneer je wilt werken;
- wat voor soort werk je wilt doen;
- wat je opleiding is;
- in de buurt van welke stad je wilt werken;

Lezen en schrijven
Opdracht 1
1 a; 2 b; 3 a; 4 b; 5 b; 6 a; 7 b; 8 b; 9 b

Hoofdstuk 8

Taak 1
Opdracht 4.1

Tekst 1
Mogelijke vragen:
- Wie zijn de doden (mannen, vrouwen, kinderen)?
- Hoe kun je door meeroken doodgaan?
- Wat gebeurt er als je meerookt?
- Wie heeft hier onderzoek naar gedaan?
- In welke landen hebben ze onderzoek gedaan?

Tekst 2
Mogelijke vragen:
- Hoeveel verdient de allochtoon minder?
- Waarom verdient hij minder?

Opdracht 4.2
In de titel en/of de eerste zin van beide teksten staat de belangrijkste informatie.

Tekst 1
Jaarlijks sterven 600.000 mensen in de hele wereld door meeroken, van wie 165.000 kinderen.

Tekst 2
Niet-westerse allochtonen in Nederland verdienen nog steeds minder dan hun autochtone collega's.

Opdracht 5.1
Mogelijke vragen tekst 1:
- Wat voor vliegtuig is neergestort? (van welke maatschappij)
- Waar is het neergestort?
- Wanneer is het vliegtuig neergestort?
- Waarom is het neergestort?
- Wat waren de gevolgen?
- Uit welke landen komen de slachtoffers?

Mogelijke vragen tekst 2:
- Hoeveel kinderen zijn gewond?
- Hoe zijn ze gewond geraakt? of: Wat is er gebeurd?
- Hoe oud waren de kinderen?

Taak 3
Opdracht 6
Hoi Eric, de trein rijdt voorlopig niet verder. Ik weet niet hoe laat ik bij je ben. Tot straks, Peter

Taak 4
Opdracht 1
1 c; 2 d ; 3 b; 4 e; 5 a

Opdracht 2
1 d; 2 a; 3 c; 4 b

Lezen en schrijven
Opdracht 1
1
alinea 1	Locatie
alinea 2	Instappen
alinea 3	Uitstappen
alinea 4	Prijs
alinea 5	Tijd

2   b

Grammatica en spelling

Hoofdletters en leestekens De zin

1. Een zin begint met een hoofdletter. (A, B, C enzovoort.)
2. Aan het einde van de zin staat een punt. (.)
3. Aan het einde van een vraagzin staat een vraagteken. (?)
4. De komma is een pauze binnen een zin. (,)

De les duurt van half twee tot drie uur.
Hoe laat is het?
Ja, ik ben bijna klaar.

Grammatica en spelling

Enkele en dubbele consonanten en vocalen Spelling

man	man-nen
naam	na-men
zon	zon-nen
zoon	zo-nen
(ik) spel	(wij) spel-len
(ik) speel	(wij) spe-len
dun	dun-ne
duur	du-re
dik	dik-ke

▸▸ 1 Je hoort in het korte woord een 'korte' klank: /a/, /o/, /e/, /u/, of /i/. Het woord eindigt op <u>één</u> medeklinker.

▸▸ 2 Je schrijft in het korte woord a, o, e, u, i: man, krom, spel, dun, dik.

▸▸ 3 Je schrijft twee dezelfde medeklinkers in het langere woord: mannen, kromme, spellen, dunne, dikke.

▸▸ 1 Je hoort in het korte woord een 'lange' klank: /aa/, /oo/, /ee/ of /uu/. Het woord eindigt op <u>één</u> medeklinker.

▸▸ 2 Je schrijft aa, oo, ee, uu in het korte woord: naam, groot, speel, duur.

▸▸ 3 Je schrijft één klinker in het langere woord: namen, groter, spelen, dure.

Overzicht Grammatica en spelling

Onderwerp	Hoofdstuk en taak
De zin	
Twee hoofdzinnen	2.3
De hoofdzin en de bijzin. De hoofdzin staat voorop.	3.1
De hoofdzin en de bijzin. De bijzin staat voorop.	4.3
De bijzin. De relatieve bijzin met 'die' of 'dat'	7.2
Het verbum	
Het imperfectum; regelmatig	1.1
Het imperfectum; onregelmatig	1.1
De infinitief met 'te' en zonder 'te'	2.1
Scheidbare werkwoorden in de hoofdzin	5.3
Het futurum. Gebruik van het presens voor het futurum.	5.2
De imperatief	5.3
Het pronomen	
Het indefiniet pronomen	8.3
Het reflexief pronomen	8.4
Het substantief	
Het diminutief	1.1
Het adjectief	
De superlatief met en zonder substantief	6.1
Vergelijkingen	6.3
Morfologie	
De samenstelling	7.3
De vorm van het woord	7.3

Overzicht Routines

Titel	Hoofdstuk en taak
Advertenties begrijpen	1.2
Afrekenen: kopen en verkopen	1.1
Iemand een dienst vragen	2.3
Iemand van dienst zijn	2.3
Informatie vragen in de bibliotheek	2.2
Informatie vragen over een baan	7.4
Een klacht beschrijven bij de huisarts	3.3
Naar iemands werk vragen	7.1
Op het gemeentehuis	2.4
Post versturen	2.1
De volgorde van activiteiten	7.2
Een voorkeur uitspreken en iets afkeuren	6.1
Vragen hoe het gaat en reageren	4.2
Vragen naar problemen en reageren	4.2

Woordenlijsten

Woordenlijst per hoofdstuk en taak

Hoofdstuk 1

Taak 1
afrekenen
bak, de
bedrag, het
beker, de
benzinestation, het
betaling, de
broodje, het
chippen
contant
doorhalen
frisdrank, de
gebruiken
genoeg
groeien
intoetsen
kantine, de
kauwgom, de
kiosk, de
kleding, de
kleingeld, het
lukken
pak, het (koffie, melk)
pas, de (bankpas, pinpas)
passen (geld)
pincode, de
procent, het
sparen
tegenwoordig
terug hebben van
tijdschrift, het
verkopen
vooral
zegeltjes, de

Taak 2
aannemelijk
advertentie, de
apart
apparaat, het
bod, het
college, het
deel, het
deur, de
hout, het
ieder
koelkast, de
koopje, het
leer, het
maar (maar 20 euro)
materiaal, het
meisje, het
merk, het
meteen
muziekinstrument, het
net (nette)
programma, het (wasmachine)
redelijk (in redelijke staat)
slechts
staat, de
stelen (gestolen)
vraagprijs, de
wassen
weg moeten
weinig

Taak 3
aanbieding, de
beeld, het
garantie, de
gegevens, de
geluid, het
maar (maar ik wil wel een goed merk)
opschrijven
televisie, de
zelf

Taak 4
chips, de
duidelijk
examen, het
heleboel (een heleboel)
huismerk, het
iedereen
krat, het
makkelijk
mazzel, de
moeilijk
noot, de
olijf, de
sap, het
sinaasappel, de
slagen (voor een examen)
spullen, de
stuk(je), het (per stuk)
tweedehands
uitgeven
zak, de

Slot
allemaal
altijd
impulsief
nadenken (over)
overal

Hoofdstuk 2

Intro
aanvragen
nodig hebben
opzoeken
pasfoto, de
paspoort, het
rekening, de (bankrekening)
sturen
zwaar

Taak 1

aantekenen

afhangen

allerlei

ambassade, de

bepalen

bewijs, het

brievenbus, de

buitenland, het

folder, de

gebeurtenis, de

gewicht, het

hoeven

huwelijk, het

kaart, de (ansichtkaart)

ontvangen

pakket, het

plakken (postzegel op een brief)

post, de

postbode, de

postkantoor, het

postzegel, de

regelmatig

tarief, het

versturen

visum, het

wegen

Taak 2

bibliotheek, de

lid, het

openbaar

overdag

Taak 3

balie, de

chipknip, de

ergens (kan ik u verder nog
ergens mee helpen?)

handig

hetzelfde

legitimatiebewijs, het

liggen (waar liggen de
formulieren?)

openen

pen, de

rijbewijs, het

saldo, het

verschil, het

verschillend

zo'n

Taak 4

aangeven (de geboorte van een
kind)

aanwezig

afdeling, de

afval, het

ambtenaar, de

bekendmaken

bewoner, de

bezoek, het

buiten

burgerzaken

centraal

functie, de

gang, de

gebeuren

geldig

gemeente, de

gemeentehuis, het

hoogte, de (op de hoogte
brengen)

kopie, de

manier, de

milieu, het

mogelijk

ophalen

papier, het

plaatsvinden (heeft
plaatsgevonden)

punt, het (plaats)

schoonhouden

schriftelijk

sommige

trekken (een nummertje trekken)

verzamelen

voldoende

vuilnisbak, de

zorgen voor

Hoofdstuk 3

Intro

apotheek, de

medicijn, het

recept, het (van de dokter)

ziek

Taak 1

achter elkaar

bewaren

bijwerking, de

blijven (werken)

borstvoeding, de

dicht

dosering, de

droog

druppel, de

enkel(e)

geneesmiddel, het

hoofdpijn, de

koorts, de

maximaal

neus, de

omdat

ontstaan

opletten

overgevoelig

schade, de

sluiten

snuiten (neus)

tablet, de/het

temperatuur, de

zwanger

Taak 2

been, het

buren, de

contact opnemen met

dik

dokter, de

dringend

gevaar, het

hulp, de

knie, de

patiënt, de

pijn, de
praktijk, de
spoedgeval, het
spreekuur, het
sterkte!
vallen

Taak 3

assistente, de
au
binnen
blijven
borst, de
doodmoe
gauw
gevoel, het
hoesten
keel, de
klacht, de
koffer, de
kuur, de (antibioticumkuur)
last hebben van
midden
onderzoeken
overgaan (pijn, ziekte)
pakken (een koffer)
pijnstiller, de
rug, de
sinds
slapen
vanzelf (dat gaat vanzelf over)
verkouden zijn
voet, de
voorschrijven
voorzichtig
waarschijnlijk
zeer doen
zuchten

Taak 4

bakken
boter, de
buik, de
conditie, de
friet, de
gezelligheid, de (voor de

gezelligheid)
gezond
leven
olie, de
ongezond
roken
snoepen
vet
vet, het

Slot

aanzetten
stoppen
strand, het
thuiskomen

Hoofdstuk 4

Intro

duinen, de
klikken (het klikt)
klomp, de
ontmoeten
ouder, de
overweg kunnen met
visite, de

Taak 1

begrijpen
druk
kennis, de
plek, de
regen, de
rij, de

Taak 2

binnenkort
inderdaad
moe
nergens
onderwerp, het
ruzie, de
vergeten
zorgen (zich zorgen maken over)

Taak 3

aardig
band, de (familie)
dood
eenzaam
familielid, het
kleinkind, het
los
missen
neef, de
nicht, de
oma, de
oom, de
opa, de
samen
schoonmoeder, de
schoonvader, de
schoonzus, de
spelen
sterk
tante, de
vreselijk
vroeger
zwager, de

Taak 4

aantrekkelijk
aardig (aardig vinden)
alleenstaand
belangstelling, de
eerlijk
genieten
huidskleur, de
humor, de
ideaal
ideaalbeeld, het
iemand
inmiddels
interesse, de
kant, de
karakter, het
lief
liefde, de
negatief
omgeving, de
positief

punt, het (score)
relatie, de
scheiden
serieus
slank
spontaan
sterven
toen
trouw
vast (vaste relatie)
verantwoordelijk
verlegen
verwachten
verwennen
verzorgd
vorig
vrijgezel, de
wandelen
persoon, de

Slot

accepteren
besluiten
lachen
resultaat, het

Hoofdstuk 5

Intro

bewegen
bezig zijn met
fysiotherapie, de
horen
interessant
oefenen
omgaan met
opleiding, de
schouder, de
spier, de
theorie, de
uitleggen

Taak 1

als
architect, de
basisschool, de

beroep, het
duur, de
Engels
havo, de
hbo, het
jongere, de
kok, de
leraar, de
leren (iets leren)
maatschappelijk werker, de
mbo, het
meevallen (dat valt wel mee)
middelbaar (middelbare school)
niveau, het
onderwijs, het
piloot, de
theoretisch
verpleegkunde, de
vmbo, het
vooropleiding, de
vwo, het
wetenschappelijk

Taak 2

afstuderen
baan, de
biologie, de
economie, de
geleden
geneeskunde, de
hogeschool, de
opeens
opnieuw
stap, de
stom
studie, de
terwijl
toekomst, de
verleden, het

Taak 3

beoordelen
gesprek, het
gymnastiek, de
huiswerk, het

komst, de (bedankt voor uw
    komst)
leren (studeren, onderwijzen)
meegeven
meester, de (school)
onvoldoende
prestatie, de
rapport, het
rekenen, het
samenwerken
sociaal
taal, de
tekenen
tempo, het
vak, het
voldoende, de

Taak 4

aanpakken
actief
controleren
ervaring, de
hard
juffrouw, de (school)
kritisch
leerling, de
mening, de
motivatie, de
radio, de
tevreden
uitspreken
zeuren

Hoofdstuk 6

Intro

discipline, de
hobby, de
letten op
regisseur, de
selecteren
zowel … als

Taak 1

activiteit, de
bekend

concert, het
cultureel
dansen
keuze, de
kunst, de
literatuur, de
museum, het
orkest, het
reserveren
theater, het
wandeling, de
zingen

Taak 2

abstract
afgesproken
beroemd
expressief
festival, het
figuratief
gek
hangen
helder
hoogtepunt, het
klinken
lelijk
licht, het
lijn, de
ongelofelijk
ontwikkeling, de
realistisch
saai
schilderen
schilderij, het
stip, de
strak (strakke lijnen)
streep, de
tentoonstelling, de
trouwens
uitdrukken
veranderen

Taak 3

arbeid, de
boodschap, de
Delfts blauw

gedicht, het
grappig
krachtig
muur, de
spreekwoord, het
tegel, de
vertellen
waarheid, de
zin, de

Taak 4

breed
dak, het
eeuw, de
gek worden van
gracht, de
modern
plat
recht
rond (vorm)
roze
schuin
smal
toren, de

Slot

bel, de
boer, de
dijk, de
koe, de
kunstenaar, de
lucht, de
noorden, het
normaal
proeven
schrijver, de
stem, de
zanger, de
zee, de
zuiden, het

Lezen en schrijven

armoede, de
bewust
combineren
daardoor

doorgaan met
na een tijdje
optreden, het
publiek, het
recht, het
verhaal, het
wassen beeld, het

Hoofdstuk 7

Intro

monteur, de
netto
ooit
repareren
tenminste
verdienen
vertalen
vliegtuig, het

Taak 1

afhankelijk
bestaan uit
bestelling, de
bewerken
blad, het
direct
enthousiast
hekel (een hekel hebben aan)
hetzij … hetzij
huishouden, het
samenstellen
secretaresse, de
streng
uiteindelijk
voorbereiden
werkzaamheden, de
zoals

Taak 2

inhouden (betekenen)
klaarmaken
medewerker, de
personeel, het
raar
rond (tijd: rond half drie)

thuiszorg, de
uitzendbureau, het
vergadering, de
vervolgens
verzorger, de
wekker, de

administratie, de
bevatten
bieden
bureau, het
burgerlijke staat, de
cv, het (curriculum vitae)
eis, de
gehuwd
hoofdkantoor, het
hopen
inhouden (wat de baan inhoudt)
kantoor, het
minimaal
mondeling
overzicht, het
seizoen, het
sfeer, de
sollicitant, de
solliciteren
tip, de
vloeiend

bedrijf, het
bruto
buurt, de
eng
gast, de
geschikt
momenteel
ontwerp, het
receptioniste, de
reclamebureau, het
schoonmaken
slag, de (aan de slag gaan)
ster, de (vijfsterrenhotel)
telefoniste, de
werknemer, de

blijken
onderzoek, het

Hoofdstuk 8

file, de
verkeer, het
volhouden
zich vervelen

aan boord
allochtoon, de
autochtoon, de
bemanningslid, het
bericht, het (nieuwsbericht)
generatie, de
gewond (raken)
gezondheid, de
inademen
infectie, de
inzittende, de
kanker, de
krantenkop, de
longen, de
neerstorten
onder de voet lopen
onderzoeker, de
ongeluk, het
opnemen (in een ziekenhuis)
overleven
publiceren
speelplaats, de
tabak, de
uurloon, het
vallen (er vallen doden)
verklaren
verzwakt
volwassene, de
wereld, de

band, de (auto, fiets)

doorgaan (een vergadering gaat
    door)
doorgeven
herhaling, de (van een
    mededeling)
het is raak
ik kan er niks aan doen
in dat geval
knooppunt, het (verkeer)
lek
mededeling, de
menen (dat meen je niet)
op weg zijn naar
perron, het
reiziger, de
rekening houden met
rennen
stilstaan (stilstaand verkeer)
technisch
verschijnen
verschrikkelijk
vervoer, het
wegens
zich ergeren aan iets

af en toe
afkoelen
afnemen
afwisseling, de
behoorlijk (tamelijk)
bewolkt
bui, de
dooien
gedoe, het
graad, de
iets niet erg vinden
ijs, het
kans, de (kans op)
koud
onweer, het
oosten, het
opklaring, de
paraplu, de
plant, de
schijnen

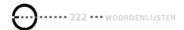

sneeuw, de
stevig (onweersbuien)
storm, de
terras, het
uitdrukking, de
voorlopig
vriezen
vrolijk

waaien
weer, het
weersverwachting, de
wennen aan
westen, het
wind, de
winter, de
wisselvallig

wolk, de
wolkenvelden, de

Regels
zich haasten
zich voelen

Alfabetische woordenlijst

	hoofdstuk en taak		
		apparaat, het	1.2
		arbeid, de	6.3
aanbieden	3.3	architect, de	5.1
aan boord	8.1	armoede, de	6 (lezen)
aanbieding, de	1.3	assistente, de	3.3
aangeven	2.4	au	3.3
aannemelijk	1.2	autochtoon, de	8.1
aanpakken	5.4	baan, de	5.2
aantekenen	2.1	bak, de	1.1
aantrekkelijk	4.4	bakken	3.4
aanvragen	2 (introductie)	balie, de	2.3
aanwezig	2.4	band, de (auto, fiets)	8.3
aanzetten	3 (slot)	band, de (familie)	4.3
aardig	4.3	basisschool, de	5.1
aardig vinden	4.4	bedrag, het	1.1
abstract	6.2	bedrijf, het	7.4
accepteren	4 (slot)	beeld, het	1.3
achter elkaar	3.1	been, het	3.2
actief	5.4	begrijpen	4.1
activiteit, de	6.1	behoorlijk (tamelijk)	8.4
administratie, de	7.3	bekend	6.1
advertentie, de	1.2	bekendmaken	2.4
af en toe	8.4	beker, de	1.1
afdeling, de	2.4	bel, de	6 (slot)
afgesproken	6.2	belangstelling, de	4.4
afhangen	2.1	bemanningslid, het	8.1
afhankelijk	7.1	benzinestation, het	1.1
afkoelen	8.4	beoordelen	5.3
afnemen	8.4	bepalen	2.1
afrekenen	1.1	bericht, het	8.1
afstuderen	5.2	beroemd	6.2
afval, het	2.4	beroep, het	5.1
afwisseling, de	8.4	besluiten	4 (slot)
alleenstaand	4.4	bestaan uit	7.1
allemaal	1 (slot)	bestelling, de	7.1
allerlei	2.1	betaling, de	1.1
allochtoon, de	8.1	bevatten	7.3
als	5.1	bewaren	3.1
altijd	1 (slot)	bewegen	5 (introductie)
ambassade, de	2.1	bewerken	7.1
ambtenaar, de	2.4	bewijs, het	2.1
apart	1.2	bewolkt	8.4
apotheek, de	3 (introductie)	bewoner, de	2.4

bewust	6 (lezen)	dak, het	6.4
bezig zijn met	5 (introductie)	dansen	6.1
bezoek, het	2.4	deel, het	1.2
bibliotheek, de	2.2	Delfts blauw	6.3
bieden	7.3	deur, de	1.2
bijwerking, de	3.1	dicht	3.1
binnen	3.3	dijk, de	6 (slot)
binnenkort	4.2	dik	3.2
biologie, de	5.2	direct	7.1
blad, het	7.1	discipline, de	6 (introductie)
blijken	7 (slot)	dokter, de	3.2
blijven	3.3	dood	4.3
blijven werken	3.1	doodmoe	3.3
bod, het	1.2	dooien	8.4
boer, de	6 (slot)	doorgaan	8.3
boodschap, de	6.3	doorgaan met	6 (lezen)
borst, de	3.3	doorgeven	8.3
borstvoeding, de	3.1	doorhalen	1.1
boter, de	3.4	dosering, de	3.1
breed	6.4	dringend	3.2
brievenbus, de	2.1	droog	3.1
broodje, het	1.1	druk	4.1
bruto	7.4	druppel, de	3.1
bui, de	8.4	duidelijk	1.4
buik, de	3.4	duinen, de	4 (introductie)
buiten	2.4	duur, de	5.1
buitenland, het	2.1	economie, de	5.2
bureau, het	7.3	eenzaam	4.3
buren, de	3.2	eerlijk	4.4
burgerlijke staat, de	7.3	eeuw, de	6.4
burgerzaken	2.4	eis, de	7.3
buurt, de	7.4	eng	7.4
centraal	2.4	Engels	5.1
chipknip, de	2.3	enkel(e)	3.1
chippen	1.1	enthousiast	7.1
chips, de	1.4	ergens	2.3
college, het	1.2	ervaring, de	5.4
combineren	6 (lezen)	examen, het	1.4
concert, het	6.1	expressief	6.2
conditie, de	3.4	familielid, het	4.3
contact opnemen met	3.2	festival, het	6.2
contant	1.1	figuratief	6.2
controleren	5.4	file, de	8 (introductie)
cultureel	6.1	folder, de	2.1
cv, het (curriculum vitae)	7.3	friet, de	3.4
daardoor	6 (lezen)	frisdrank, de	1.1

functie, de	2.4	helder	6.2
fysiotherapie, de	5 (introductie)	heleboel	1.4
gang, de	2.4	herhaling, de	8.3
garantie, de	1.3	het is raak	8.3
gast, de	7.4	hetzelfde	2.3
gauw	3.3	hetzij … hetzij	7.1
gebeuren	2.4	hobby, de	6 (introductie)
gebeurtenis, de	2.1	hoesten	3.3
gebruiken	1.1	hoeven	2.1
gedicht, het	6.3	hogeschool, de	5.2
gedoe, het	8.4	hoofdkantoor, het	7.3
gegevens, de	1.3	hoofdpijn, de	3.1
gehuwd	7.3	hoogte, de	
gek	6.2	(op de hoogte brengen)	2.4
gek worden van	6.4	hoogtepunt, het	6.2
geldig	2.4	hopen	7.3
geleden	5.2	horen	5 (introductie)
geluid, het	1.3	hout, het	1.2
gemeente, de	2.4	huidskleur, de	4.4
gemeentehuis, het	2.4	huishouden, het	7.1
geneeskunde, de	5.2	huismerk, het	1.4
geneesmiddel, het	3.1	huiswerk, het	5.3
generatie, de	8.1	hulp, de	3.2
genieten	4.4	humor, de	4.4
genoeg	1.1	huwelijk, het	2.1
geschikt	7.4	ideaal	4.4
gesprek, het	5.3	ideaalbeeld, het	4.4
gevaar, het	3.2	ieder	1.2
gevoel, het	3.3	iedereen	1.4
gewicht, het	2.1	iemand	4.4
gewond (raken)	8.1	iets niet erg vinden	8.4
gezelligheid, de		ijs, het	8.4
(voor de gezelligheid)	3.4	ik kan er niks aan doen	8.3
gezond	3.4	impulsief	1 (slot)
gezondheid, de	8.1	in dat geval	8.3
graad, de	8.4	inademen	8.1
gracht, de	6.4	inderdaad	4.2
grappig	6.3	infectie, de	8.1
groeien	1.1	inhouden (betekenen)	7.2
gymnastiek, de	5.3	inhouden	
handig	2.3	(wat de baan inhoudt)	7.3
hangen	6.2	inmiddels	4.4
hard	5.4	interessant	5 (introductie)
havo, de	5.1	interesse, de	4.4
hbo, het	5.1	intoetsen	1.1
hekel (een hekel hebben aan)	7.1	inzittende, de	8.1

jongere, de	5.1	lelijk	6.2
juffrouw, de (school)	5.4	leraar, de	5.1
kaart, de (ansichtkaart)	2.1	leren (iets leren)	5.1
kanker, de	8.1	leren (studeren, onderwijzen)	5.3
kans, de (kans op)	8.4	letten op	6 (introductie)
kant, de	4.4	leven	3.4
kantine, de	1.1	licht, het	6.2
kantoor, het	7.3	lid, het	2.2
karakter, het	4.4	lief	4.4
kauwgom, de	1.1	liefde, de	4.4
keel, de	3.3	liggen	2.3
kennis, de	4.1	lijn, de	6.2
keuze, de	6.1	literatuur, de	6.1
kiosk, de	1.1	longen, de	8.1
klaarmaken	7.2	los	4.3
klacht, de	3.3	lucht, de	6 (slot)
kleding, de	1.1	lukken	1.1
kleingeld, het	1.1	maar (maar 20 euro)	1.2
kleinkind, het	4.3	maar	
klikken (het klikt)	4 (introductie)	(maar ik wil wel een	
klinken	6.2	goed merk)	1.3
klomp, de	4 (introductie)	maatschappelijk werker, de	5.1
knie, de	3.2	makkelijk	1.4
knooppunt, het (verkeer)	8.3	manier, de	2.4
koe, de	6 (slot)	materiaal, het	1.2
koelkast, de	1.2	maximaal	3.1
koffer, de	3.3	mazzel, de	1.4
kok, de	5.1	mbo, het	5.1
komst, de	5.3	mededeling, de	8.3
koopje, het	1.2	medewerker, de	7.2
koorts, de	3.1	medicijn, het	3 (introductie)
kopie, de	2.4	meegeven	5.3
koud	8.4	meester, de (school)	5.3
krachtig	6.3	meevallen	5.1
krantenkop, de	8.1	meisje, het	1.2
krat, het	1.4	menen	8.3
kritisch	5.4	mening, de	5.4
kunst, de	6.1	merk, het	1.2
kunstenaar, de	6 (slot)	meteen	1.2
kuur, de	3.3	middelbaar	
lachen	4 (slot)	(middelbare school)	5.1
last hebben van	3.3	midden	3.3
leer, het	1.2	milieu, het	2.4
leerling, de	5.4	minimaal	7.3
legitimatiebewijs, het	2.3	missen	4.3
lek	8.3	modern	6.4

moe	4.2	onvoldoende	5.3
moeilijk	1.4	onweer, het	8.4
mogelijk	2.4	ooit	7 (introductie)
momenteel	7.4	oom, de	4.3
mondeling	7.3	oosten, het	8.4
monteur, de	7 (introductie)	op weg zijn naar	8.3
motivatie, de	5.4	opa, de	4.3
museum, het	6.1	opeens	5.2
muur, de	6.3	openbaar	2.2
muziekinstrument, het	1.2	openen	2.3
na een tijdje	6 (lezen)	ophalen	2.4
nadenken (over)	1 (slot)	opklaring, de	8.4
neef, de	4.3	opleiding, de	5 (introductie)
neerstorten	8.1	opletten	3.1
negatief	4.4	opnemen (in een ziekenhuis)	8.1
nergens	4.2	opnieuw	5.2
net (nette)	1.2	opschrijven	1.3
netto	7 (introductie)	optreden, het	6 (lezen)
neus, de	3.1	opzoeken	2 (introductie)
nicht, de	4.3	orkest, het	6.1
niveau, het	5.1	ouder, de	4 (introductie)
nodig hebben	2 (introductie)	overal	1 (slot)
noorden, het	6 (slot)	overdag	2.2
noot, de	1.4	overgaan	3.3
normaal	6 (slot)	overgevoelig	3.1
oefenen	5 (introductie)	overleven	8.1
olie, de	3.4	overweg kunnen met	4 (introductie)
olijf, de	1.4	overzicht, het	7.3
oma, de	4.3	pak, het	1.1
omdat	3.1	pakken (een koffer)	3.3
omgaan met	5 (introductie)	pakket, het	2.1
omgeving, de	4.4	papier, het	2.4
onder de voet lopen	8.1	paraplu, de	8.4
onderwerp, het	4.2	pas, de	1.1
onderwijs, het	5.1	pasfoto, de	2 (introductie)
onderzoek, het	7 (slot)	paspoort, het	2 (introductie)
onderzoeken	3.3	passen (geld)	1.1
onderzoeker, de	8.1	patiënt, de	3.2
ongelofelijk	6.2	pen, de	2.3
ongeluk, het	8.1	perron, het	8.3
ongezond	3.4	personeel, het	7.2
ontmoeten	4 (introductie)	persoon, de	4.4
ontstaan	3.1	pijn, de	3.2
ontvangen	2.1	pijnstiller, de	3.3
ontwerp, het	7.4	piloot, de	5.1
ontwikkeling, de	6.2	pincode, de	1.1

plaatsvinden	2.4	rond (vorm)	6.4
plakken	2.1	roze	6.4
plant, de	8.4	rug, de	3.3
plat	6.4	ruzie, de	4.2
plek, de	4.1	saai	6.2
positief	4.4	saldo, het	2.3
post, de	2.1	samen	4.3
postbode, de	2.1	samenstellen	7.1
postkantoor, het	2.1	samenwerken	5.3
postzegel, de	2.1	sap, het	1.4
praktijk, de	3.2	schade, de	3.1
prestatie, de	5.3	scheiden	4.4
procent, het	1.1	schijnen	8.4
proeven	6 (slot)	schilderen	6.2
programma, het		schilderij, het	6.2
(wasmachine)	1.2	schoonhouden	2.4
publiceren	8.1	schoonmaken	7.4
publiek, het	6 (lezen)	schoonmoeder, de	4.3
punt, het (plaats)	2.4	schoonvader, de	4.3
punt, het (score)	4.4	schoonzus, de	4.3
raar	7.2	schouder, de	5 (introductie)
radio, de	5.4	schriftelijk	2.4
rapport, het	5.3	schrijver, de	6 (slot)
realistisch	6.2	schuin	6.4
recept, het (van de dokter)	3 (introductie)	secretaresse, de	7.1
receptioniste, de	7.4	seizoen, het	7.3
recht	6.4	selecteren	6 (introductie)
recht, het	6 (lezen)	serieus	4.4
reclamebureau, het	7.4	sfeer, de	7.3
redelijk	1.2	sinaasappel, de	1.4
regelmatig	2.1	sinds	3.3
regen, de	4.1	slag, de (aan de slag gaan)	7.4
regisseur, de	6 (introductie)	slagen (voor een examen)	1.4
reiziger, de	8.3	slank	4.4
rekenen, het	5.3	slapen	3.3
rekening houden met	8.3	slechts	1.2
rekening, de	2 (introductie)	sluiten	3.1
relatie, de	4.4	smal	6.4
rennen	8.3	sneeuw, de	8.4
repareren	7 (introductie)	snoepen	3.4
reserveren	6.1	snuiten (neus)	3.1
resultaat, het	4 (slot)	sociaal	5.3
rij, de	4.1	sollicitant, de	7.3
rijbewijs, het	2.3	solliciteren	7.3
roken	3.4	sommige	2.4
rond (tijd: rond half drie)	7.2	sparen	1.1

speelplaats, de	8.1	terwijl	5.2
spelen	4.3	tevreden	5.4
spier, de	5 (introductie)	theater, het	6.1
spoedgeval, het	3.2	theoretisch	5.1
spontaan	4.4	theorie, de	5 (introductie)
spreekuur, het	3.2	thuiskomen	3 (slot)
spreekwoord, het	6.3	thuiszorg, de	7.2
spullen, de	1.4	tijdschrift, het	1.1
staat, de	1.2	tip, de	7.3
stap, de	5.2	toekomst, de	5.2
stelen	1.2	toen	4.4
stem, de	6 (slot)	toren, de	6.4
ster, de (vijfsterrenhotel)	7.4	trekken	
sterk	4.3	(een nummertje trekken)	2.4
sterkte!	3.2	trouw	4.4
sterven	4.4	trouwens	6.2
stevig	8.4	tweedehands	1.4
stilstaan	8.3	uitdrukken	6.2
stip, de	6.2	uitdrukking, de	8.4
stom	5.2	uiteindelijk	7.1
stoppen	3 (slot)	uitgeven	1.4
storm, de	8.4	uitleggen	5 (introductie)
strak (strakke lijnen)	6.2	uitspreken	5.4
strand, het	3 (slot)	uitzendbureau, het	7.2
streep, de	6.2	uurloon, het	8.1
streng	7.1	vak, het	5.3
studie, de	5.2	vallen	3.2
stuk(je), het	1.4	vallen (er vallen doden)	8.1
sturen	2 (introductie)	vanzelf	
taal, de	5.3	(dat gaat vanzelf over)	3.3
tabak, de	8.1	vast (vaste relatie)	4.4
tablet, de/het	3.1	veranderen	6.2
tante, de	4.3	verantwoordelijk	4.4
tarief, het	2.1	verdienen	7 (introductie)
technisch	8.3	vergadering, de	7.2
tegel, de	6.3	vergeten	4.2
tegenwoordig	1.1	verhaal, het	6 (lezen)
tekenen	5.3	verkeer, het	8 (introductie)
telefoniste, de	7.4	verklaren	8.1
televisie, de	1.3	verkopen	1.1
temperatuur, de	3.1	verkouden zijn	3.3
tempo, het	5.3	verleden, het	5.2
tenminste	7 (introductie)	verlegen	4.4
tentoonstelling, de	6.2	verpleegkunde, de	5.1
terras, het	8.4	verschijnen	8.3
terug hebben van	1.1	verschil, het	2.3

verschillend	2.3	wassen beeld, het	6 (lezen)
verschrikkelijk	8.3	weer, het	8.4
versturen	2.1	weersverwachting, de	8.4
vertalen	7 (introductie)	weg moeten	1.2
vertellen	6.3	wegen	2.1
vervoer, het	8.3	wegens	8.3
vervolgens	7.2	weinig	1.2
verwachten	4.4	wekker, de	7.2
verwennen	4.4	wennen aan	8.4
verzamelen	2.4	wereld, de	8.1
verzorgd	4.4	werknemer, de	7.4
verzorger, de	7.2	werkzaamheden, de	7.1
verzwakt	8.1	westen, het	8.4
vet	3.4	wetenschappelijk	5.1
vet, het	3.4	wind, de	8.4
visite, de	4 (introductie)	winter, de	8.4
visum, het	2.1	wisselvallig	8.4
vliegtuig, het	7 (introductie)	wolk, de	8.4
vloeiend	7.3	wolkenvelden, de	8.4
vmbo, het	5.1	zak, de	1.4
voet, de	3.3	zanger, de	6 (slot)
voldoende	2.4	zee, de	6 (slot)
voldoende, de	5.3	zeer doen	3.3
volhouden	8 (introductie)	zegeltjes, de	1.1
volwassene, de	8.1	zelf	1.3
vooral	1.1	zeuren	5.4
voorbereiden	7.1	zich ergeren aan iets	8.3
voorlopig	8.4	zich haasten	8 (grammatica en spelling)
vooropleiding, de	5.1		
voorschrijven	3.3	zich vervelen	8 (introductie)
voorzichtig	3.3	zich voelen	8 (grammatica en spelling)
vorig	4.4		
vraagprijs, de	1.2	ziek	3 (introductie)
vreselijk	4.3	zin, de	6.3
vriezen	8.4	zingen	6.1
vrijgezel, de	4.4	zoals	7.1
vroeger	4.3	zo'n	2.3
vrolijk	8.4	zorgen	
vuilnisbak, de	2.4	(zich zorgen maken over)	4.2
vwo, het	5.1	zorgen voor	2.4
waaien	8.4	zowel … als	6 (introductie)
waarheid, de	6.3	zuchten	3.3
waarschijnlijk	3.3	zuiden, het	6 (slot)
wandelen	4.4	zwaar	2 (introductie)
wandeling, de	6.1	zwager, de	4.3
wassen	1.2	zwanger	3.1

Bronvermelding

Hoofdstuk 1

'Betalen in Nederland', naar: www.pin.nl en www.currence.nl, 2011;
'Vaste prijzen of niet?', naar: ANP, september 2010; tekst bij Lezen, naar:
ANP, augustus 2010

Hoofdstuk 2

'Openbare Bibliotheek', naar: www.oba.nl; 'PostNL Verhuisservice', naar:
www.postnl.nl; foto's postzegels Postnl.nl

Hoofdstuk 3

'Bijsluiter xylometazoline neusdruppels', naar: www.apotheek.nl;
'Bijsluiter paracetamol tabletten', naar: www.apotheek.nl; 'De
huisartsenpost', naar: www.huisartsenpost.org, november 2010; 'Naar de
huisarts?', naar: ANP 2003; afbeelding Schijf van vijf, voedingscentrum.nl

Hoofdstuk 4

'Vrijgezel', bron: Lang niet gehoord mijn vriend, gedichten. ROC Zadkine;
liefdestest, naar: P. Weiler, Test uzelf, Kosmos Z&K Uitgevers; 'Een kind,
een huis, een auto en een baan', naar: ANP 2002; 'Zorgen voor elkaar',
naar: ANP 2002

Hoofdstuk 5

'Mustapha uit Irak vertelt over zijn studie in Nederland', 'Afgestudeerde
studenten vertellen over hun cursus of studie', naar: Momentopname,
kwartaalblad voor donateurs van Stichting voor Vluchteling-Studenten,
UAF, www.uaf.nl

Hoofdstuk 6

'Mondriaan: Op weg naar abstractie (1892 - 1914)', naar: de museumkrant
van het Gemeentemuseum Den Haag, 2003, nummer 1; 'Als je denkt aan
Nederland', geschreven en gecomponeerd door Henk Noorland, NT2-
docent van het jaar 2010 (Hij werkt bij het Instituut voor Nederlands als
Tweede Taal bij de Universiteit van Amsterdam.); 'Een multitalent', naar:
www.alib.nl; Alamy Images, pagina 117, 124, 127; iStockphoto, pagina
139

Hoofdstuk 7

'Met succes solliciteren', naar: www.sollicitatie.nl; 'Mannenwerk -
vrouwenwerk', naar: www.cbs.nl; tekst bij Lezen, naar: Ad Valvas, 13
maart 2003; Prisma uitgevers, afbeelding pagina 159

Hoofdstuk 8
'Jaarlijks 600.000 doden door meeroken', 'Niet-westerse allochtoon verdient minder', 'Vliegtuig neergestort', 'Chinese schoolkinderen gewond', naar: ANP; ANP Photo, afbeelding pagina 175 en 177